KB103629

주의사항

이 책은 에세이집입니다.
현재 공인중개사의 실무와 경험을 에세이로 이야기했습니다.
부동산에 관한 법률 및 판례는 참고만 하시길 바랍니다.
여러분이 생각하는 지식과 다르다면
여러분이 생각하는 지식이 다 맞습니다.

공인중개사 **중재**가 우선이다.

목차

1. 나는 '공인중개사'다.

방에서 문을 통하지 않고 나갈 수가 없듯이
사람이란 길을 밟지 않고 갈 수가 없다.

공자

눈을 다시 감는다.

온몸의 동맥, 정맥, 내가 아는 맥은 불규칙하게 뛰는 것 같다.

호흡이 거칠다.

아랫배가 요동을 친다..

일어나자.

24절기 중 2번째 절기 우수'란다.

'눈이 녹아 비가 내린다' 하여 우수다.

비가 온다.

내 속도 우수다.

뭔가가 녹아 우수수 내린다.

'우수 경칩에 대동강 풀린다' 라는 속담이 있다.

근데 내 속은 언제 풀리려는가?

비가 오나, 눈이 오나?

나는 출근해야지

사무실에서 멍하게 앉아 있다 보니 점심시간이 훌쩍 지났지만 오늘 점심은 패쓰다.

4시다.

내적 갈등이 심해졌다.

도저히 안 되겠다.

'이야 많이 약해졌네' 어쩔 수 없다.

'내일을 위해 오늘은 조퇴' 극적으로 혼자 타협과 합의를 보고 주변을 살피며 문을 닫는다.

신기하다.

퇴근하고 올라가는 길이 이상하게 정겹고 그렇다.

내 몸도 가볍다.

집에 주차하려는데 전화벨이 촐랑거리며 울린다..

"여보세요. 김 소장, 어디고?" 우리 마을 제일 꼭대기에 사시는 박 사장님이시다.

마을 사시는 어르신들은 다들 사장님이시다.

박 사장, 김 사장, 최 사장, 정 사장 호칭이다.

뭐 하셨는지는 자세히 알지 모른다.

내만 소장이다.

"네~~몸이 안 좋아서 일찍 퇴근했습니다. 집 앞입니다."

가끔 사무실 마실 나올 때 전화를 주고 오시고 해서 오려나 보다
하고 말했다.

"잘됐네! 바로 우리 집으로 좀 올라온나" 격양된 말투다.

(뭐지 이 불길한 예감은 왜 슬픈 예감은 틀린 적이 없나.)

주차하려는 차를 그대로 몰고 올라간다.

우리 집이랑 거리는 얼마 안 되어도 경사도가 엄청나다.

위로 갈수록 온도 차가 점점 떨어진다.

꼭대기는 여름에 에어컨이 필요 없다고 한다.

정말 그렇다.

시원하다.

그래서 전기세를 작게 낸다고 하신다.

대신 겨울에 기름값이 장난 아니다.

아직 도시가스가 아니라 대부분 기름보일러다.

도착하니 진돌이가 멍하게 쳐다본다.

순둥이다.

시골 가면 어디서나 있는 진돗개 이름이다.

수컷 진돌이.

암컷 진순이.

주차하고 전화하려는데, 저 뒤편에서 싸우는 소리가 난다.

"왜이랍니까? 두 분"

"잘 왔다. 김소장"

박 사장님 바로 밑에 사시는 정 사장님 이시다.

"이놈의 새끼가 우리 비닐하우스에서 고추하고 상추를 말도 없이 따서 먹었다 아이가"

"어디 새끼 새끼 하노? 나이도 어린놈이"

두 분 다 58개띠다.

박 사장님이 빠른 58이다고 했다.

마을에서 단짝 친구라고 자의 반 타의 반으로 불린다.

"그라고 내 땅에 비닐하우스 설치해서 해 먹으라고 했으면 내가 좀 따서 먹으면 어떻노. 내 말이 틀리나! 김 소장아 대답해봐라."

"내가 그래서 김 소장아! 고맙다고 3년 전에 50만 원도 줬고 술도 받아다 주고 그랬다. 김 소장 말해봐라. 누가 잘못했노?"

왜 이러는 걸까?

난감하다.

나는 공인중개사다.

공인중개사 사무소 소장이다.

파출소 소장이 아니다.

"아이고 왜 이러십니까? 내려갑시다. 우리 집에 가서 소주 한 잔씩 합시다."

나는 전화기를 들고 통보한다.

"집에 윗집 사장님 두 분이랑 간다."

아무래도 나는 우수에 내 눈물이 우수수 떨어질지도 모른다.

두 분은 얼큰하게 드시고는

"역시 마을에 공인중개사 한 명은 있어야 해"

박 사장님이 말씀하셨다.

정 사장님이 맞장구친다.

"그치 친구야 가자. 김 소장아 잘 묵었데이"

아마도 두 분은 올라가시면 숨이 차고 열이 나고 호흡이 빨라지고 해서, 술이 깨서 2차를 할 게 뻔하다.

경우는 다르지만 토지 사용승낙서에 대해 알아보려 한다.
말 그대로 남의 토지를 사용할 수 있도록 승낙을 받은 문서이다,
이 문서가 은근히 중요하다.
<토지사용승낙서가 필요한 경우>
2가지만 말하겠다.

첫 번째로 우수관로이다.
우수관로는 땅의 빗물을 안정적으로 배출하기 위한 시설이다.
건물을 지을 때는 반드시 연결되어야 한다.
만약 토지가 공공도로와 접하고 이어 공공 우수관로에
연결할 수 있다면 문제가 없겠지만 사유지나 사도 같은
경우에는 해당 토지의 사용승낙서가 필요하며, 이를
받아야 건물을 지을 수 있다.
우수관로는 땅의 빗물을 안정적으로 배출하기 위한 시설이다.
건물을 지을 때는 반드시 연결되어야 한다.
만약 토지가 공공도로와 접하고 이어 공공 우수관로에
연결할 수 있다면 문제가 없겠지만 사유지나 사도 같은
경우에는 해당 토지의 사용승낙서가 필요하며,
이를 받아야 건물을 지을 수 있다.

두 번째로,
토지 진입로의 사용에도 토지사용승낙서가 필요하다.
일반적으로 포장되어 있거나 도로와 비슷하게 보이는
진입로가 있으면 공공도로로 오해할 때도 있다.
이럴 때 그 사도를 사용할 수 있게 승낙을 받는 거다.

토지사용승낙서는 지구 단위 계획에 따라 건축 인허가를 받아야
할 때, 또는 토지의 소유주가 바뀌었을 때 사용된다.
양식은 따로 있지 않다.
다만 토지 소유주와 사용인의 인적 사항이 자세히 기재되어야 한
다.(소유주와 사용인의 이름 주소 연락처 정보를 기재)
특약사항이 필요한 경우 합의사항이나 조건을 명시한다.
이를 준수하지 않으면 건축 인허가를 받지 못할 수 있다.
토지 매매 계약서 등의 내용을 기반으로 작성되므로
토지 사용승낙서는 토지 소유주가 변경될 때마다 필요하다.

2.매력

소유하고 있는 대상은 처음 그것을 추구할 때의
동일한 매력을 유지하는 경우가 없다.

- 플라니 2세 -

요즘 읽은 책들을 다시 읽기 시작했다.

참 이해가 안 되고 어려운 책이 있다.

몇 년 전에 읽고 다시 읽으면 다를까? 하고 읽었다.

그런데 그 내용이 그 내용이다.

그냥 내 생각이다.

다시 책장 앞에 섰다.

괜히 이책 저책 꺼내 책장을 넘겨본다.

이게 웬 횡재인가?

천 원이다.(구권 지폐)

혼자 열심히 책장에 꽂힌 책을 한 권씩 꼼꼼히 책장을 넘기며 확인해가는데.

"계십니까?"

사무실 문이 열리면서 나이가 지긋하게 드신 어르신 부부가 들어오신다.

"네~어서 오세요. 여기 앉으세요."

딱딱한 의자보다 소파로 안내했다,

"따뜻한 녹차 한 잔씩 드릴까요?"

"아니 나는 커피 주소"

깜짝 놀랐다.

나는 맥가이버 아저씨가 온 줄 분명 백발의 어르신이 목소리는 맥가이버다.

정확히는 배한성 아저씨(성우)라 해야 하나?

"네~믹스로 한잔 드릴게요."

최대한 중후한 목소리로 대답했다.

"아이고 총각이 혼자 하는가 보네"

할머니 목소리는 또 아기 목소리다.

어울리는(?) 노부부인듯싶다.

"네. 총각이 혼자 합니다."

굳이 어려 보인다는데
아닙니다.
내일모레 50입니다.
애가 몇 살이고 구차하게 말할 필요가 없다고 생각한다.
"총각은 무슨 50이다 되어가 보이는구먼."
맥가이버 할아버지가 뼈 때리신다.
"어르신 뭘 도와줄까요"
"저 쪽으로 땅 하나 사서 집 짓고 살라고"
"아이고 총각이 식물을 좋아하나봐?나무가 많네!"
"할망구야 좀 앉아 있어, 나무 구경하려고 왔나."
한참을 두 분이 이런 식으로 대화하신다..
끼어들 틈이 없다.
"저~~ 쪽으로 어느쪽으로 가서 사실 건데요?"
"저기 그 어디고 계곡 있고 백숙도 팔고 하더구먼, 엊그제 아들내
미하고 갔다 왔는데."
여기는 조그만 어디로 가도 계곡 있고 백숙 파는 곳이 있다.
갑자기 전화를 하신다.
"내다. 여기 복덕방 아저씨 바꿔줄게."
"네~여보세요. 아네~알겠습니다. 잠시만요."
전화기를 넘겨드렸는데 그냥 끊어 버린다.
터프하게 덮어버린다.
"아드님이 ㅇㅇ사 쪽으로 구해달라네요"
"그래 거기"
"거기 부동산이 더 잘할 건데……."
"아들이 여기 가라 해서, 아들 친구가 여기 잘한다 했다 카더라"
"네~잘 왔습니다. 제가 잘합니다."
이것저것 상담하고 나가시면서 전화번호를 불러준다.
아들이랑 통화해라고

"아. 네~~"
다시 아들이랑 전화로 이야기했다.
오랜만에 땅 작업하려 가야겠다.
나는 땅 작업하려 간다고 표현한다.
나오지 않은 땅을 구하려고 가는 거다.
물론 좋은 땅도 매물로 나와 있을 거다.
공동중개할 수 있다.
뛰어나신 분들과 공동중개할 수 있다.
그래도 손님에게 맞는 땅을 찾아보고 작업해 보고 없을 시 공동
중개해도 늦지 않다.
노트북을 켠다.
주변 시세 파악하고, 주변 토지이용계획 확인서(지적도)를 여기저
기 띄엄띄엄 3통 정도를 뽑는다.
토지이용계획확인서는 말 그대로 보면 된다. (토지에 이용할 수
있는 게 적혀있다. 보면 된다.)
참 편하다고 생각 든다.
2000년도 초에는 시청에 가서 토지이용계획확인원 신청서를 작
성하고(토지 번지 적으면) 제출하면 30분뒤에 찾으러 오란다.
가면 한군데 쌓여있다.
거기 뒤져보면 어느 땅이 매도하려고 나왔는지 알 수 있다.
그래서 거기를 뒤벼 물건 확보하고, 지주작업하고 그랬다.
그래서 일부러 그 옆에 번지를 신청한다.
그 주위 번지 토지계획내용이 별 차이가 없다.
서류를 챙겨놓는다.
내일은 바로 백숙 먹으러 가야겠다.
내일은 '부동산의 꽃' 땅 작업하려 간다.
공인중개사의 매력이라고 본다.
꼭꼭 숨겨둔 땅이 밖으로 나오면서

'너는 이제부터 얼마다'
가격 라벨을 부쳐주는 거다.
내일 나로 인해 얼마짜리
땅이 밖으로 나오는거다.

꾸니왕

3.백숙

자신을 믿고 시작하라. 자신을 신뢰하지 않으면 다른
누구도 그렇게 하지 않을 것이다.

- 마크 트웨인 -

"운전할게요"

백숙 먹으러 간다니깐 백수인 후배가 따라나선다고 한다.

(백수보다는 휴가 중이라 해달란다.)

그래 가자.

오랜만에 간다.

누가 봐도 '부동산에서 왔어요'이다.

괜히 펼쳐보지도 않은 서류에 휴대폰 보조배터리 핸드크림만 들어 있는 서류 가방을 들고 다닌다.

많이 변했다.

일단 주변을 둘러본다

이 동네는(이 마을은) 답이 나왔다.

빈 땅이 몇 필지가 없다.(풀이 자라서 관리가 안 된 땅도 없다.)

"이야 여기 집 짓고 살면 죽이겠는데예."

"그렇지 누가 봐도 좋제 죽이제"

길도 넓고 주변에 집도 많고, 옆에 계곡도 있고, 땅도 잘 가꾸어놓고, 누가 봐도 임자 있어요, 땅이다.

백화점에서 파는 과일처럼 포장이 아주 완벽히 잘되어 있는 땅이다.

이 땅은 사면 안 되는 땅이다.

나는 '시장에서 할머니가 5개 정도 작은 빨간 대야에 놓고 몽땅 얼마' 이런 땅을 찾는다.

백화점 망했어요 '파격 세일' 이러지 않는 이상은 이 땅은 집 짓고 살 땅이 아니다.

카페가 들어서면 모를까?

그러나 마을에서 쉽게 허락도 해주지 않을 것이다.

등기부 떼어봐야 알겠지만 내가 보기에는 거래된 지 얼마 되지 않았을 거다.

지금 이러지도 저러지도 못하고 있는 것 같다.

분명 집을 지어야 할 땅에 각종 채소 모종이 심겨 있다.

농사도 초보인 것 같다.

(비싸게 매수했을 거다. 내가 매도인이라 해도 임자가 나타나면 제값 받고 매도했을 거다.)

카페나 펜션을 하려고 매수했지만, 마을에서나 어디선가에 태클이 걸려 지금 채소 심는 밭이 된 것 같다.

집을 짓고 이쁘게 살자 그런 생각으로 집을 지어도 나는 타산이 나오지 않는다고 본다.

전원주택지랑은 맞지 않는다.

마을에 일단 영업하는 식당도 많고. 전원 단지라 하기에는 또 너무 마을이 뒤죽박죽이다고 해야 하나?

헌 집 새집 헌 집 새집이다.

분명 이러면 마을에 트러블이 생겨 편하게 살지 못한다.

위로 조금 올라가니 백숙집이 있다.

감이 왔다.

할배가 저기 평상에 앉아 막걸리 한잔하시고 밑에 보니 빈 땅이 이쁘게 보여 '마누라 우리 저기 저런 땅 사서 집 짓고 살까?' 그랬을거다.

그길로 나를 찾아왔을 거고

"으아아악"

옆에 있는 줄 알았는데 저기 밭 끝 산 밑에서 고함지르며 달려온다.

"뱀 뱀~~~"

"자크나 올려라"

"진짜 큰 놈이 아마 독사였을 겁니다. 혀를 날름 내 미며 내 쪽으로 오는데"

"xx 안 물렸으면 됐다."

참고로 이 친구는 해병대 나왔다.

"아까 주문했지예 다 됐습니까?"
xx 안 물려서 신이 났는지 앞장서서 물어본다.
"여보세요 ~~"
"아~소장님 말씀하세요"
"땅 좀 보려고 왔는데. 이 동네는 힘들겠어요 네~~네. 네."
할아버지 아들이랑 통화했다.
오늘 저녁에 퇴근길에 사무실 들린다는데 거절했다.
"월요일 오시면 안됩니까? 늦을 거 같아요."
(눈앞에 소주가)
백숙이 너무 맛있다.

첫술에 배부르겠나.

기사가 있으니.
첫술에 배부르다.

꾸니왕

4.기회 와 선택

기회는 모든 사람에게 찾아오지만
그것을 잘 활용하는 사람은 많지 않다.

-B.리턴 -

"테스형! 어찌하면 테스형처럼 뛰어난 사람이 될수있노?"
플라톤 동생이 소크라테스 형님한테 물었다.
테스형은 끌고 보리밭으로 데리고 간다.
보리가 수확할 때가 되어 알이 튼실하다.
"라톤아 내가 저기 끝에 서 있을게 니는 여기서 출발해서 니가
생각하기에 제일 큰 보리 한 알을 가져온나.알았제.대신 한번 지
나간 길은 돌아 못 간다?"
"알았다.내 억수로 큰 거로 금방 가져갈게 딱 기다리고 있으래
이" 라톤이는 보리만 보며 걸어갔다.
큰 거 큰 거만 찾다 보니 벌써 테스형 앞까지 와 버렸다.
"보자. 얼마나 큰 거 가져왔는지"
"형님아 내 못 가져왔다.아이씨 입구에 억수로 큰 거 있던데 기
회 한 번만 더 주라. 가면 더 큰 게 있을 줄 알고 지나쳐 와뿟다.
한 번만 다시 하자."
테스형이 말한다.
"라톤아 기회는 두 번 안 온다. 뭐라도 선택해서 와야지."
"형님아~한 번만 한 번만 더 기회를 줘"
라톤이는 울었다.

손님이 오기로 했다.
맥가이버 할아버지의 아들이랑 미팅 잡았다.
"제가 많이 늦었죠"
"아닙니다. 정확히 5시입니다."
밖에서 땡 하길 기다렸나?
"아버지, 어머니 잘 계시죠"
"네~"
아이고~~목소리가 어머니를 닮았다.그 좋은 맥가이버 아버지를
닮지 않았다.

속으로 피식했다.

지난주 집 지을 땅 구해 달라는 어르신 아드님이시다.

"혹시 저기 xx 전기 사장님 잘 아십니까?"

"xx 전기요? 잘은 모르지만 중개해드렸습니다."

"그 사장이 제 친구라~여기 부동산 가라고 해서"

"아네~~"

사실 나는 지인 소개 중개를 좋아하지 않는다.

잘되면 모르지만,

부동산업이 업인 만큼 잘못되면 사람을 잃는다.

(물론 나는 사람을 잃은 적은 없다.내 자랑 맞다.)

"그런데 어디 사시는 데 여기까지 오시고 그쪽 동네에

집 짓고..."

"저는 부산에 살고 아버지는 이 근처 살아요"

"그런데 아버지 연세가?"

"여든하나입니다."

"우와~~그렇게 안 보이시던데"

"그렇죠"

이런저런 이야기 하니 어머니가 좀 몸이 안 좋으시다고 한다.

그래서 좀 전원에서 생활하면 괜찮을까 해서

아버지가 또 자연인을 억수로 좋아한다고 한다.

목소리만 맥가이버가 아닌가 보다.

나는 선택을 해야 한다.

"저는 그렇다면 반대합니다.물론 땅은 구해줄 수 있어요 전원생
활 그거 쉬운 것도 아니고 어머니도 아프시고 아버지 연세도 있
으시고 힘듭니다."

"왜요? 맑은 공기 마시고 하면 좋지 않아요?"

"여기나 거기나 공기 별 차이 없어요. 같은 촌인데요."

설명하기 시작했다.

전원주택지를 사서 전원주택을 짓고 살다가 살기 싫으면 팔고 금방 나오지를 못한다.

아파트처럼 시세가 명확하지 않다.

그리고 수요가 그렇게 많지 않다.

'땅은 거짓말하지 않는다'라는 말은 틀린 말은 아니지만 전원주택은 거짓말할 때가 있다.

관리 조금 하지 않으면 집이 엉망이 된다.

그러면 건물값은 못 받고 빠져나올 수가 있다.

그리고, 제일 중요한 거는 어르신 나이와 건강이다.

병원도 가까워야 하고 자가운전이 가능해야 하며 우선 관리가 되지 않을 거다.

전원생활은 한살이라도 어릴 때 힘이 있을 때 즐기는 거다.

시골 간다고 건강해지면 돌아가시는 어르신은 없어야 할 거다.

나는 젊다.

그래서 전원생활한다.

나는 65세가 넘어가면 다시 도시에서 살 거다.

아직 20년은 더 여기서 즐길 거다.

꾸준히 관리하고 즐기며 살 수 있으면 땅을 사서 집 짓고 건강 챙겨가며 제때 채소도 먹고, 술도 먹고, 고기도 먹고 그렇게 살 수 있으면 나는 추천한다.

물론 잘 관리하고 그러면 땅은 거짓말 안 한다.

그런데, 지금 어르신 연세와 건강으로는 1년도 채 안 돼서 나와야 할 것이다.

나는 다시 한번 생각해 보고

'그래도 사야 하겠다' 하면 오시라고 했다.

라톤이가 전화 오겠다.

"어이구~~돈 벌 기회를 줘도 못 잡나?"
나는 말한다.

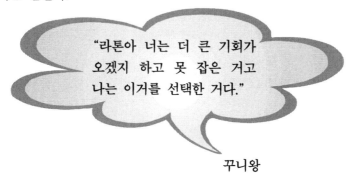

"라톤아 너는 더 큰 기회가
오겠지 하고 못 잡은 거고
나는 이거를 선택한 거다."

꾸니왕

집에 애들(사료) 밥 사야 되는데

5.포기

- 피에르 샤롱 -

친구의 충고는 신중하게 곱씹어
받아들여야 한다.
옳건 그르건, 자신의 생각을 포기하고
친구의 충고를 무조건 따라서는 안된다.

"부추 모종을 벌써로 심었어요?"
지나가는 아주머니 무리가 집 좀 구경해도 돼요. 하고 우르르 들어온다.
난 대답하지 않았다.
무섭다.
순간 가이드가 됐다.
일요일 오전에 여기 이사 왔을 때 심고는 한 번도 구근을 떼서 옮기지 않은 무스카리 구근을 대문 옆으로 옮기는데 새 구근을 떼서 심은 무스카리를 보고 아주머니들이 부추라 한 거다.
분명 오전인데 얼굴들이 빨갛다.

화요일 아침
난 개인적으로 화요일을 좋아한다.
왠지 뭘 시작하지 않아도 될 거 같고 뭘 마무리 짓지 않아도 된다는 생각에 화요일을 좋아 한다.
만고 내 생각이다.
출근길에 그 부추를 보니 저녁에는 아무래도 삼겹살을 먹어야 되겠다.
무스카리는 참 멋진 놈 같다.
추운 겨울에도 웬만하며 저 부추 잎을 유지한다.
그리고 특별하게 관리해 주지 않아도 봄에는 보라색 멋진 꽃을 피운다.
나는 주로 구근식물을 좋아한다.
관리가 쉽다.
뭐 수선화, 튤립, 히아신스, 백합 등 내가 아는 모든 지식이다.
쫌 짧다.
무스카리 꽃말이 신선한 변화라 한다.
신선한 변화도 주고 싶고,

날씨도 좋고 일 좀 하자는 마음으로 핸들을 잡았다.

어제 접수 받은 토지매매건 임장활동 하려 나선다.

(임장활동 이란? 현장에 직접 가보는 부동산 활동을 말한다. 어떠한 부동산을 효율적으로 사용하거나 분석하기 위해서는 직접 대상 부동산 혹은 인근지역 유사지역에 나가서 조사·확인 등을해야 한다.)

이건 사전적 의미고, 그냥 땅보려 간다.

'바람이 몹시 불던 날이었지♬♪♬.그녀는 조그마한 흔들며♬♪'

김성호의'회상'이 라디오에서 흘러나온다.

목청껏 따라 부르다 보니 현장에 다왔다.

이리저리 둘러보고 사진 찍고, 흙도 밟아보고, 괜히 토지이용계획확인원도 한 번 보고 생각보다 괜찮다. (속으로만 ´아하´)

쭈욱 둘러보고 있는데 영감님 한 분이 한 손에는 곡괭이를 들고 입에는 담배를 물고 길 건너온다.

멀리서 보면 꼬옥 싸우려 오는 것 같다.

무섭다. (난 평화주의자.)

"어디서 왔는교?"

"부동산에서 나왔는데요!"

자세히 보니 영감님이 아니다.

내 또래쯤 보인다.

근데 무슨 말투는 영감이다.

담배 냄새가 지독하다.(우우욱~~~)

"혹시 ㅇㅇ부동산 아는교?"

"네, 잘은 모르지만, 안면은 알고 지내는 소장님입니다만, 왜 그러세요"

참 웃기는 사람이다.

내가 부동산에서 나왔다는 소리만 했는데 어느 부동산 알고 있냐 묻는다.

근데 정확히 사무실 주변 부동산이다.

"소장님은 무슨 소장!! 순 사기꾼 새끼지"

"예~~~?"무슨 소리인가 싶어 일부러 억양을 좀 올렸다.

궁금해진다.

궁금하다.

무슨 이야기인지 자세히 들어봐야겠다.

사연은 이렇다.

이 사람 관점에서 그럴 수도 있겠다 싶다.

근데 이거는 어쩔 수 없을 것 같다.

2달 전 마주 보고 있는 도로변에 있는 등기부상 면적이 300평인 대지를 평당 150만 원에 거래하였다.

대금을 모두 치르고 멋지게 가든 할라고(촌닭집 할라고 했단다.) 측량해보니 등기부상 면적보다 30평 정도나 부족한 270평으로 확인된 것이다.

그래서 다짜고짜 부동산 찾아가 30평 가격을 돌려받아주던지, 물려 내라고 한 것이다.

나는 살짝 발을 뺀다.(나도 자세히 모르겠다고 그 부분은…….)

괜히 사기꾼 새끼 소리 들을까 봐.

일단 계약서에 특약을 기재하였나 물으니 그런 것 없었단다.

그럼 돌려받기 힘들 것이다.

수량 부족의 경우 매도인의 담보책임에 관한 문제이다.

이에 관하여 우리 민법은"수량을 지정한 매매(수량지정매매)의 목적물이 부족한 경우 그 부족을 알지 못한 매수인은 그 부분의 비율로 대금의 감액 등을 청구 할 수 있다"라고 규정하고 있다 (민572-574)

*토지매매에 있어서 면적 및 대금결정과 관련하여 필지 매매와 수량매매의 두 가지 유형이 있다.

1필지의 총대금을 결정하기 위한 방법으로 평당가격을 결정하는 소위 "필지매매"가 그 하나의 유형이고,

또 다른 유형으로는 평당가격을 정하고 실평수에 따라서 대금을 결정하는 "수량매매"가 있다.

양자의 차이는 한마디로 말하면 실평수에 따른 대금 정산의 의사가 중요요소로 작용하고 명시적 또는 묵시적으로 표시되었는지에 있다고 할 것이다.

보통 토지매매는 "필지 매매" 이루어진다.

'실평수에 따른 대금 정산을 하기로 상대방과 합의'한 바가 있다면 30평에 대한 대금반환청구가 가능하지만,

반대로 그러한 합의 없이 등기부상 300평인 대지를 평당 150만 원으로 따져 대금을 결정했다면 이는 위 대지 자체를 1개의 거래 대상으로 보아 매수한 그것으로 보이기 때문에 대금 감액청구를 할 수 없다고 할 것이다.

판례)

"민법 제574조에서 규정하는 수량을 지정한 매매"라 함은 당사자가 매매의 목적인 특정물이 일정한 수량을 가지고 있다는 데에 주안을 두고 대금도 그 수량을 기준으로 하여 정한 경우 매수인이 일정한 면적이 있는 것으로 믿고 매도인도 그 면적이 있는 것을 명시적 또는 묵시적으로 표시하고, 나아가 당사자들이 면적을 가격결정요소 중 가장 중요한 요소로 파악하고 그 객관적인 수치를 기준으로 가격을 정하였다면 그 매매는 "수량을 지정한 매매"라고 하여야 할 것이다.라고 판시하였다(대법원 1998.6.26 선고 98다13914판결.2001.4.10선2001다12256판결).

6.기부

-윈스턴 처칠 -

우리는 받아서 삶을
꾸려나가고
주면서 인생을 꾸며
나간다.

"어서오……"

땡그랑 사무실 문이 열린다.

문 쪽으로 쳐다보며 인사를 하려는데 바깥공기와 함께 익숙한 냄새가 같이 들어온다.

"친구야~~모하노"

"너 생각하고 있었다. 뭉디야"

40년 친구다.

초등학교 아니지 국민학교 입학하고 쭈욱 같이 다녔다.

알아서 커피 타고 다리 꼬고 소파에 앉는다.

눕는다는 표현이 맞는 거 같다.

신경 안 쓰고 내 할 일 한다.

뭔가가 찝찝하다.

오늘은 수요일이다.

"마!! 니 오늘 회사 안 갔나?"

우리가 아직 퇴직할 나이는 아니다.

"때려치웠다."

"지랄은~"

공기업 다니는 놈이다.

우리 친구들은 그놈을 신기해했다.

공부도 못했지 뭐뭐 특별한 게 없다.

어찌 들어갔는지 모르겠다.

"연차 썼다. 내 오늘부터 쭈욱 논다. 오늘부터 니랑 쭈욱 달리려고"

그러려니 했다.

마흔 살인가부터 정말 가정적인 놈이 되어 버렸다.

자기 말은 늙어서 밥 얻어먹으려면 지금부터 잘해야 된다고 항상 이야기하고 다녔다.

그때마다. 친구들은 ´너나 잘하세요´라고 비아냥거렸다.

이 친구의 선택을 지금은 다들 부러워한다.

"가자~ 손님도 안 오는데 바쁜척하지 말고"

"일해야 한다. 바쁘다"

말을 하면서도 못 이기는 척 끌려나간다.

"타라~"

"모르겠다. 가자~"

"근데 어디 가노? 술 묵으러 가는 거 아니가?"

"아 이놈 이거 낮술 좋아 하제."

"지는..."

더 말 안 해도 알 거다.

자기 때문에 내가 낮술을 먹는 거 마누라님이 통금시간을 줘서 일찍 가야 한다고.꼭옥 토요일 낮에 한잔한다.

'나는 모르겠다' 생각하고 블로그를 열심히 보며 공감 누르고 댓글을 달고 혼자 열심히 했다.

내비게이션 아가씨가

"요금 0천0원이 정산되었습니다"라는 소리에 두리번거린다..

'안동'이다.

내가 아는 경북 안동이란 말인가?

우린 누가 먼저라고 할 거 없이 부른다.

♪♪바람에 날려버린

♬첫눈이 내리는 날 안동역 앞에서♬

시간을 보니 1시간 30분은 지난듯하다.멀리도 왔다.

여기서 끝이 아니다.

더 들어간다.

뭐지 내리라 한다.

"친구야 재능기부 좀 해라."

"뭔 소리고?"

"어떻노? 우리 마눌님이 장모님하고 땅 사서 집 지을라고 몇일을 다녀가지고 선택할 땅이단다."
뭐지 이놈 왜 나한테 의뢰 안 하고 이런 평가를 하라노.!
사실 부탁했어도 근처 부동산 가라 했을 거다.
"이럴 거면 아는 감정 평가사 소개해 줄까?근데 왜 안동이고?"
"우리 마누라님 대구 사람인 거 잊었나?"
(아 그렇다 대구 사람이지)
습관적으로 돌아본다.
남쪽이 어딘지 이리저리 주변 집들도 보고,조용하고 너무 좋았다.
어디서 알아봤는지 대단하다.
"내가 니 하고 몇 번 댕겨봐서 꼼꼼하게 봤다.이것저것 다 알아
봤다."
목소리 톤이 커졌다.
"좋네. 근데 얼마고?"
"평당 50"
대충 생각해 본다.
사실 시세는 잘 모른다.
그래도 토목하고 이리저리 나가도 괜찮은 금액이라 생각한다.
앗. 그렇다.
평이라는 단위는 사용 금지다.
일본식 넓이 단위라고 한다.
세계 공통 단위 제곱미터(m^2)를 써야 한다.
중개사님들이 잘못 광고하면 과태료다.
"몇 평이고?"
"200평. 정확하게는 202평"
"그렇게 안 커 보이는데 따라와봐라."
나는 동네를 돌아본다.
몇 가구가 없다.
아직 밭들도 꽤 있다.

"안녕하세요. 할머니 뭐 캐는 교?"

조그만 올라가니 할머니 한 분이 밭에 있다.

누가 봐도 냉이 캐고 있는데, 나는 모르는 척하고 물어본다.

"어디서 왔습니껴?"

"부산에서 여기 땅 사서 집 지어 볼까 해서 왔습니데."

나는 좀 더 정겹게 이야기한다.

"할매 할매땅인교?"

"내 땅이지, 저기 저 소낭구까지가 내 땅이다."

소낭구?

대충 소나무인 거 같다.

"아따 땅 넓고 좋네요. 몇 평이나 되는교?"

"한 200평쯤 될 게다."

"그래 예, 좋네! 예 할매 많이 캐시소 다음에 또 들릴게요"

"젊은 놈이 참 미깔스럽네"이러는 거다.

나는 칭찬인 줄 알고 인사하고 돌아섰다.

"뭔 말이고? 미깔스럽다가?"

"너보고 밉상이란다"

뒤통수 한 대 맞은 기분이다.

"봐라. 이 땅하고 저 할매 땅하고 니가 봐도 차이 크게 나제?"

"그렇네!"

"단디 알아보고 주인도 아는지 모르는지 그리고 측량했는지, 몇 평 정도는 괜찮지만 많이 차이 나면 지금은 평당 50인데 나중에 집 짓고 하면 평당 가격 올라가면 손해가 크다.

매매하려면 측량을 하던지 아니면 특약사항에 기재해라. 매도인도 모르고 있을 수 있으니 기재하면 나중에 측량하면 돌려줄 거다."

그렇다.

우리는 흔히 토지매매는 필지 매매다.

필지 매매는 추후 실평수가 작을 때 돌려받거나 하기가 힘들다.

추후 분쟁이 많다.

그걸 줄이기 위해 특약에 기재하는 거다.

나는 개인적으로 토지는 수량매매를 해야 한다고 생각한다.

우리나라 토지는 아직도 실평수랑 등기부상 평수랑은 차이가 크게 나는 경우가 종종 있다.

추후 분쟁을 맡기 위해서는 수량 매매가 바르다고 본다.

수량매매는 쉽게 말해서 사과 1개에 2000원

그래서 5개 달라고 해서 1만 원을 줬는데

집에 와보니 4개밖에 없더라.

그러면 한 개 가격을 받을 수 있다.

필지매매는 사과한 박스에 2만 원이라고 해서 샀는데,

집에 와서 보니 박스 안에는 8개밖에 없다면.

같은 사과라면 2개가 손해인 거다.

7.인정

-스티븐 잡스 -

가끔은 혁신을 추구하다
실수할 때도 있습니다.
하지만,
빨리 인정하고
다른 혁신을 개선해 나가는
것이 최선입니다.

띠띠띠~띠띠

출랑되며 울린다

4시 30분이다.

폰이 고장 났나 보다.

이 시간에 왜 알람이 폰을 저 멀리 던진다.

뿌샤지라

그래야 바꿔준다.

다시 눈을 감고 생각해 본다.

왜 4시 반에 알람이 울리지?

아~~오늘부터'미라클모닝' 뭐시기 그냥 굿모닝 하면 되는데 뭐라고 눈을 감고 뒤척인다.

근데 찝찝하다.

우이쒸 일어나자.

옆에는 탱크가 쳐들어와서 전쟁을 심하게 하는 것 같다.

아마도 미라클 애프터눈이 될 것 같다.

물을 한잔 먹고 두껍게 옷 입고 테라스로 나왔다.

깜깜하다.

조용하다.

세상이 멈춰있는 거 같다.

오징어 배 조명을 켠다.

오징어는 안 오고 테라스 주인 2 놈이 놀라서 일어난다.

"저 주인 놈이 드디어 미쳤나 보다 오빠야"

동생 엠버가 오빠 달코에게 말한다.

그러자 달코가 말한다.

"미칠 때도 됐다"

"멍멍멍"

"멍멍멍"

아마도 저렇게 말했을 거다.

4시 반에 일어나니 개소리도 알아듣네

진짜 미라클 모닝이다.

아침 루틴 그대로 심호흡하고 헛둘 헛둘 면민 체조 좀 하고 주문을 외워보자.

"나는 모든 면이 날마다 나아지고 있다" 구시렁거린다.

"일어나시오, 일어나서 밥 묵어요. 묵고 돈 벌려 가야지"

이건 뭔 소리인가?

앙탈스러운 목소리가 나를 깨운다.

시계를 보니 7시 40분이다.

뭐지?

꿈인가?

폰을 던지고 그대로 잠들었나 보다.

인정하기 싫지만 꿈을 꿨나 보다.

진짜 미라클 모닝이다.

출근해서 멍하게 있다.

가끔 이렇게 멍 때리는것도 나쁘지 않다.

♪♪♪♪♪ ♫♫ ♪♪♪ ♫♫"

요란하게 벨 소리가 울린다.

누가 들어도 받기 싫은 전화벨 소리였을 것이다.

받아, 받지 마

"여보시오"

"내다"

"닌줄 안다.(너인 줄 안다) 와(왜)?"

친구 놈이다.

자기 필요할 때만 가끔 연락하는 놈이다.

주변에 꼭 이런 놈 한 놈은 있을 것이다.

그래도 가끔 소주는 사주는 착하고 부자인 놈이다.
"공인중개사가 수수료를 내한테 돌라는데?"
"뭔 말이고, 중개했으면 줘야지"
"그게 아니고, 내 말 들어봐라"

내용은 이렇다.
상가 하나를 가지고 있는데 임차인이 계약 기간이 아직 3개월이
남았는데 장사가 안돼서 폐업해서 나간다고 부동산에 물건 접수
를 한다고 연락이 왔다.
그래서 그래라 그렇게 말했는데, 될 놈은 된다고 이 불경기에 1주
일 만에 새로운 임차인을 부동산이 구해서 계약하게 된 것이다.
그런데 계약이 완료 후 중개 수수료를 전 임차인이 아니라 임대
인에게(친구) 달라고 한 것이다.
"얼만데 수수료가?"
"몰라, 대충 1백만 원 정도"
"전 임차인이 준다는 말 없었으면 네가 주는 게 법이다."
"무슨 개똥 같은 법이고 아직 3개월 남았으니 전 임차인이
줘야지"
보통 실무에서는 전 임차인에게 받는 경우가 많다.
그거는 전 임차인 수수료 줄 테니 빨리 부탁한다는 등등 이야기
할 때이다.
"무슨 개똥 같은 소리가 아니고, 만약 3개월 뒤 어차피 새로운
임차인 나오면 네가 줄 거 아니냐"
뚜뚜뚜뚜 끊어버린다.
인정하는 거다.
역시 될 놈이다.
이놈 때문에 판례를 뒤져보게 됐다.
오늘도 공부한다.

<서울지방법원 민사 9부 1998.7.1 선고 97다 55316판결>

일 년을 약정한 임차인이 잔여기간 3개월을 남기고
나갈 경우에.임대인이 새 임차인과 임대차계약을 맺으
면서 지출한 중개 수수료는 임차인 부담하기로 하는
특별한 약정이 없는 한 임차인이 부담할 성질의 것이
아니므로 임대인은 임차인이 약정한 임대차 기간이
종료되기 전에 계약관계를 청산을 요구하였기 때문에
중개 수수료를 부담하여야 한다고 주장하나,
임차인과의 임대차계약이 종료된 경우에도 임대인은
어차피 새로운 임차인과 임대차계약 체결을 위하여
중개 수수료를 지불하여야 하므로, 임차인이 중개 수
수료를 부담하여야 한다고 볼 수 없다.

8.눈물

- 볼테 -   눈물은 목소리가 없는 슬픔의 언어다.

"남자가 어찌 저리 잘 우는지"
"울긴 누가 울어"
말은 그렇게 했지만 눈물 자국이 너무 깊다.
그렇다.
나도 모르게 요즈음 자주 운다.
어떻게 됐는지 드라마'고려거란전쟁'보고 울었다.
'사나이는 평생 세 번 운다'
누가 자꾸 이런 말을 만들어 내는지 모르겠다.
(아마 눈물이 잘 안 나오는 인간이 만들었을 거다.)
자기 사전에 불가능이 없다고 말한 프랑스 최고의 영웅'나폴레옹'도<젊은 베르테르의 슬픔>을 일곱 번 읽었는데 일곱 번을 울었다고 했다.
나는 그 책을 읽고는 울지 않았다.
베르테르가 권총으로 자살하는 장면을 읽을 때도 울지 않았다.
그런데'고려 거란 전쟁'을 보고는 운다.
사람마다 다르다.

같이 일했던 실장님이 보름 전쯤 사무실에 놀려왔다.
작년에 자격증(34회) 따서 사무실을 오픈했다고 인사차 왔다.
"저는 요즈음 소장님 일 안 하는지 알았어요 어디를 찾아봐도 광고가 없어요.광고 안 해요.저는 폐업한 줄 알았어요"
아~그렇다.
언제부터인가 광고를 안 하기 시작한 것 같다.
나는 부동산업을 26살 때부터 했다.
누나들이 다들 공인중개사라 자연스럽게 일하게 된 것 같다.
그때는 뭘 해도 돈을 벌 때였다.(부동산)
그래서 자격증을 그리 중요하게 생각하지 않았다.
그렇게 10년쯤 지나서야 자격증이 필요하다고 느꼈다.

그래서 피. 땀. 눈물 흘리며 내 자랑은 아니지만, 한방에 땄다.
(24회다. 그 어렵다 했던 회차다.)
그렇게 내 이름을 간판을 걸고는 광고란 광고는 다 했다.
심지어 버스 좌석 광고도 많이 했다.
광고 회사에서 부동산은 처음이라고 했다.
버스에 앉으면 앞 좌석에 붙어있는 광고를 봤을 거다.
거기에 부동산 광고를 했다.
그렇게 했으니 지금 이러고 있으니 그럴 만도 하다.
눈물 포인트만큼 업무 스타일도 달라진 거다.
나는 봉투 하나를 준비해서 갔다.
이것저것 다 받아봤는데 봉투가 최고다.
"안녕...하..."
인사를 하면서 문을 열고 들어가는데 분위기가 좋지 않았다.
"앗 소장님 어찌 잘 찾아오셨네요. 잠시만 거기 앉아 계세요"
표정이 영~~ 안 좋다.
나는 신경 안 쓰고 사무실을 쭈욱 둘러보고 있었다.
그런데 자꾸 정 실장님이 나를 힐끗힐끗 본다.
아~이제 정 소장님이시지.(몇 년을 실장님이라 불러서)
계약서를 적는 거 같았다.(멋지다.벌써 계약을)
"아니 내가 왜 주냐고"
분명 모습은 할머니인데 목소리는 짜랑짜랑하다.
"임대를 낸 놈이(전 임차인) 준다 했다면서 이제 안 준다는 게
말이냐?"
정 소장님이 당황했는지 말을 더듬는다.
"그...럼   누..구한테 받아요.이렇게 제가 열심히 발품을 팔아가면
서 거래 성사 시켰는데"
"아니 편의점 사장(전 임차인)한테 받아야지"
"아니 할머니가 건물 주인이잖아요"

정 소장님이랑 눈이 마주쳤다.

뭐지 눈물이 글썽거리는 것 같이 보였다.

들어보니 내용은 편의점을 운영하던 사장님이 여러 사정으로 장사를 못 할 거 같아 나가야 하는데 아직 계약 기간이 3개월이 넘게 남아서 건물 주인 할머니한테 이야기하니 직접 부동산에 좀 내놓으라고 그런데 그 당시에는 그 편의점 사장이 빨리 나가기 위해 수수료를 자기가 줄 테니 임대 좀 빨리 부탁한다고 구두로 이야기한 거다.

그런데 계약 기간이 1달 정도 남았고 물건이고 집기도 다 뺐고 알아보니 자기가 수수료를 안 줘도 된다는 걸 알았나 보다.

이제 계약서를 쓰려고 하니 건물주도 전 임차인도 중개 수수료를 못 주겠다는 거다.

"안녕하세요"

나는 은근슬쩍 정 소장 옆에 앉는다.

"어르신 기간이 이제 얼마나 남았어요?"

"한 달이나 남았어요"

역시 짜랑짜랑하다.

"한 달밖에 안 남았네요"

한 달이나 와 한 달밖에는 듣는 사람이 느끼는 게 다르다.

"어르신 법적으로는 어르신이 주는 게 맞습니다."

"뭔 법 나는 법 모른다."

나는 근엄한 목소리로 이야기한다.

"잘 들으세요. 어르신 계약 기간이 아직 남았으니 수수료 못준다 이거잖아요."

"글치 그러니깐 그 사장(전 임차인)한테 받아야지"

"그러면 이러면 되겠네 한 달 뒤에 계약합시다.그때는 어르신이 줘야 합니다."

순간 조용하다.

"어르신 법이 몇 달이 남아도 계약을 새로 하는 거니깐 임대인이 중개 수수료 주라고 합니다.어차피 다시 새로 계약서 작성하고 그 라면 당연히 수수료는 줘야죠.아시겠죠?"

이 새끼는 뭐지 하는 표정이다.

"정 소장님 편의점 사장님한테 전화해서 저 좀 바꿔줘요"

나는 전화기를 받고 밖으로 나간다.

"여보세요 xx부동산입니다. 왜 상가 임대 거래하면 수수료 사장 님이 준다고 말해놓고 이제 못 준다고 합니까?"

"그때는 내가 몰라서 그렇게 준다 했는데 알아보니 안 줘도 된다 고 하더구먼"

"사장님이 잘못 아셨나 본데 법이 사장님이 중개 수수료 준다고 했으면 사장님이 줘야 합니다.구두계약도 계약입니다.보증금에서 빼고 준다면 어쩔 겁니까?저 말이 틀리면 안 받을게요. 알아보시 고 빨리 전화 주세요"

전화를 끊었다.

협박이 아니다.

법이 그렇다. (판례)

전 임차인이 준다고 말했으면 줘야 하며 말이 없이 그냥 매물 접 수만 했으면 임대인(건물주)이 중개 수수료 줘야 한다.

5분이 지나서 전화가 온다.

나는 전화기를 들고 나가서 내가 받는다.

"여보세요 네네…. 알겠습니다."

(수수료 드릴 테니 계약 진행하세요)

그러나 나는 서로 좋게 하려고

"어르신 제가 이야기 잘해서 반반씩 하기로 했습니다.어르신 반 편의점 사장님 반, 됐지 예? 잘했지 예?"

그제야 표정이 바뀌더니

"뭐 어쩔 수 없지 그랍시데이"

잘 마무리하고 자리에 앉으니 정 소장님이 나를 쳐다보는 눈에
눈물이 글썽인다.
그마음 안다.
나라도 답답했을거다.

<관례>

<서울지방법원 민사 9부 1998.7.1 선고 97다 55316판
결>
참고하시면 됩니다.
<실무상 유의할 점>
나가는 임차인이 부담하겠다고 합의했거나 동의하는 경
우가 아니라면, 개업 공인중개사로서는 중개 보수를 임대
인에게 청구해야 할 것으로 본다.

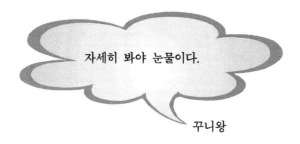

자세히 봐야 눈물이다.

꾸니왕

9.행복

- 스톰 제임슨 -

행복은 깊이 느끼고,
단순하게 즐기고,
자유롭게 사고하고,
삶에 도전하고,
남에게 필요한 사람이 되는 능력에
서 나온다.

쉰다.

토요일이라 쉰다.

그런데 옆에서 "토요일인데 쉬나?" 이런다.

오늘부터 마을 밑 광장에서 매화 축제 행사장이 열렸다.

사람과 차들이 많다.

못 돌아올까 봐 오늘 쉰다.

잔디 사이사이 화단 사이사이 올라오는 잡초 뽑아라한다.

그중에서도 세 잎 클로버 애들을 뽑으라 한다.

"사랑초랑 구별해라" 한다.

그 정도는 구별한다.

"앗~~여기 네 잎 클로버 있다. 뽑을까?"

"어디 어디" 소리와 함께 어두운 그림자가 옆에 있다.

"뻥.... 인...."

말도 끝나기 전에 등짝 스매싱을 맞았다.

어느 책에서 봤다.

네 잎 클로버 꽃말이 '행운'이라고 한다.

세 잎 클로버 꽃말은 '행복'이라고 한다.

우리는 왜 보이지 않는 네 잎 클로버를 찾으려 할까?

진천에 깔린 세 잎 클로버는 잡초로 여겨 뽑아버리고 우리는 왜 보이지 않는 '행운'을 찾으려만 하고 여기저기 찾아보면 보이는 '행복'은 뽑아버릴까?

등짝 더 맞기 싫어 출근해야겠다.

"나는 모든 면이 날마다 나아지고 있다."

혼자 큰소리로 중얼거린다.

"출발하자~~고고~~"

나는 이 출퇴근길을 좋아한다.

딱 25분 거리다.

도심에 차 막히는 거리가 아닌 드라이브코스 같다.

강 건너 보이는 풍경과 가끔 보는 일출, 일몰이 참 멋지다.

아무튼, 오늘도 감성에 빠져 있다.

믹스커피 한잔 타서 자리에 앉아 노트북을 켠다.

항상 몸이 기억하는 행동이다.

그리고 얼마 되지 않았다.

2달 전부터 노트북을 켜면 블로그라는 걸 본다.(한다.)

참 배울 것이 많다.

세상에 똑똑하고,

대단한 분이 많다는 것을 알았지만,

새삼스럽게 다시 느낀다.

혼자 심각한 표정을 짓다가 입가에 미소를 짓기도 한다.

"안녕하세요~~소장님~"

"네~ 어찌한 일로~오늘 학원 문 열어요?"

상가 2층에 미술학원 원장님이시다.

"아니요 오늘 쉬는데 운동가다가 문이 열려서"

"네~~~커피 한 잔 드릴까요~~"

"아메리카노로 주세요~"(무슨 카페도 아니고)

비싼 캡슐을 하나 내려준다.

"사실은 소장님 학원 원생이 늘어나서 학원을 좀 알아보고 옮기려고 하는데요?"

(아~~~학원 자리 알아봐야 하나! 기쁜 설레발에 목소리 톤이 밝아진다.)

"네~~어디쯤으로....."

"저기 건너편 xx빌딩 3층으로"

"벌써 알아보고 구하셨구나!"

(혼자 괜히 설레발 목소리가 쳐진다.)

"그런데 무슨 문제라도?"

"그게 2층 주인아저씨가 보증금을 안 줘요?"

"네? 왜요?"

"그게 원상 복귀를 하던가? 비용을 700만 원 정도를 빼고 준다고 해요"

(원상복구이겠지! 어니 군대 자대 복귀도 아니고)

여기서는 복구라는 단어가 맞는 말이다.

"미술학원에 무슨 원상복구 할 게 딱히 있으려나, 내 기억이 맞는다면 학원 하던 자리를 그대로 들어온 거로 아는데?"

"네~ 소장님이 계약서 썼잖아요"

"제가요? 옆에 부동산 소장님이 쓴 거로 아는데? 그게 중요한게 아니고 계약서 들고 일단 와 보세요"

시간이 2시간 정도 지났나?

계약서를 가져왔다.

한 손에는 가볍게 커피 한 잔을 들고 같이 준다.

계약서에는 '임대차계약이 종료된 경우 임차인은 위 부동산을 원상으로 회복하여 임대인에게 반환한다'

그냥 일반적인 계약서 형식이다.

그리고 특약사항에 따로 기재는 없다.

그렇다면 만약 내가 공인중개사로 중재를 나선다면 나는 임차인 편을 들어서 중재를 할 것이다.

차근차근 설명했다.

"우와~ 오늘 제가 소장님 만난 거는 정말 행운이네요"

내용)

3년 전 학원을 하던 자리를 그대로 인수했다.

원생이 늘어 이전하려 하니 임대인이 보증금에서 원상복구 비용을 빼고 준다는 것이다.

임차인은 사용 기간 크게 공사한 곳도 없고 그대로 사용했다고 한다.
원상복구 비용 어떻게 해야 하나?

(판례)

특별한 약정이 없었다면은 임차인이 개조한 범위내
에서만 상가 원상으로 복구하면 되는 것이지 그 이
전의 임차인이 한 시설까지 철거할 의무는 없다고
판결하였습니다.
(대법원 1990.10.30.선고90다카12035판결)
임대차계약에 다른 특별한 약정이 없는 경우에는,
시설권리금을 주고 영업을 포괄 승계한 신규임차인
의 경우
이전 임차인이 설치한 시설까지 원상회복하여야 한
다고 판시하고 있습니다.
(대법원선고 2017 다 268142)
또한 기존 임차인에게 시설을 인수하는 조건으로
권리금을 주고 들어온 신규 임차인에게 이전 임차
인이 설치한 시설까지 원상복구 하라는 하급심 판
례도 있습니다.
(서울중앙지법 2016 가소 7061507)
위 두 가지 판례는 서로 모순이 된다고 볼 수
있지만, 사실은 그렇지않다.
아래의 사례는 원상복구에 대한 특약사항의 약정이
있었기

결론

원상복구의 쟁점은 특약사항이다.
현 시설물 상태로 반환하는 조건의 특약사항
-원상복구의 기준은 계약 당시 시설물 상태이다.
-임차인이 새롭게 추가하여 설치한 부분에 대해서는
 원상복구의무가 있다.
분양 당시 최초 상태 기준으로 반환하는 조건의 특약사항
-원상복구의 기준은 준공 후 최초 입주 상태로 한다.

서로 합의하여 기재할 수 있는
사항은 세심하게 기재해야 한다.
동영상을 촬영해 놓으면 좋다.
동영상이 안되면 사진만이라도
찍어놔야 한다.

꾸니왕

10.소통

내가 무슨 말을 했느냐가 중요한게 아니라
상대방이 무슨말을 들었냐가 중요하다.

-피터 드러커-

6시 30분
많이 밝아진 듯하다.
그래도 이불 속이 좋다.
뒹굴뒹굴한다.
30분을 더 뒹굴뒹굴하고 문을 열고 나간다.
테라스에서 두 놈이 나를 격하게 반긴다.
하루 중 이 시간을 제일 좋아하는 놈들이다.
'아침형 개들'이다.
산책하러 가고 놀 생각하니 신나서인지 생리현상(똥. 오줌)을 빨리 배출해야 해서 재촉하는 건지 모르겠다.
"자~출동하자"
이 말과 내가 신발 끈을 묶으면.두 놈은 자연스럽게 뒷다리를 쭈욱 기지개를 편다
그러고는 물그릇에 가서 물을 마신다.
이제 물먹어도 오줌 쌀 수 있으니 많이 마시는 것 같다.
아침 산책하러 갈 준비를 하면 마음껏 먹는다.
분명 이런 행동은 이 녀석들과 나와의 소통하는 방식이다.
내가 운동화 끈을 묶으면 그러면 기지개를 켜고 물을 먹는다.
"가자~~~"
목줄을 묶어 오늘은 산책길이 아닌 뒷산으로 향한다.
"오빠야 오늘은 뒷산으로 가는 거 같다.멍멍엉"
"그런가보다 멍"
동생 엠버가 달코 오빠한테 말하니 시크하게 달코 오빠가 대답한다.
둘만의 대화다.
소통이 잘 되는 거 같았다.
알아서 산 쪽으로 향한다.
산 입구에서 목줄을 풀어준다.

둘은 쏜살같이 뛰어 올라간다.

나는 입구에서 나무 막대기 하나를 주웠다.

지팡이가 되고, 골프채가 되고, 야구방망이처럼 이리저리 휘두르며 아직 바스락 소리가 남은 낙엽을 밟고 올라갔다.

내가 정한 1차 고지쯤 올라오니 녀석들은 정상을 향해 질주하는 모습이 보인다.

밑을 내려다보며

"나는 모든 면이 날마다 나아지고 있다" 중얼거리고 있었는데,

멀리서 앙칼진 달코 울음소리가 들린다.

"멍~~멍 튀어 엠버 멍"

그러고는 내 앞을 슈웅하고 집 쪽으로 뛰어 내려간다.

그 뒤를 따라 거리를 두고 무슨 시커먼 들소가 내려오는 것처럼 엠버가 뒤뚱뒤뚱 뛰어서 내려온다.

빠르다.

내 앞을 스쳐 지나가며 짖는다.

"주인 놈아 튀어 멍멍멍"

나는 본능적으로 애들을 뒤따라 집으로 튀었다.

애들은 보이지가 않았다.

어찌나 빠른지 그래도 그렇지 주인을 버리고 도망을 가버린다.

'헉헉'거리며 산을 내려왔다.

마을에 들어서서 산을 쳐다보니 멀리서 고라니 새끼가 나를 쳐다보고 있었다.

엠버 몸체 반도 안 되는 녀석이다.

일단 도망을 쳐서 잘 내려왔지만 허탈한 웃음이 났다.

나는 한 손에는 멧돼지도 잡을 수 있는 나무 막대기를 꼬옥 쥐고 있다.

집에 오니 아무 일 없는 듯이 두 녀석은 놀고 있다.

자기들끼리는 소통이 잘 돼서 무사했다고 생각하는 것 같다.

"주인 놈아 우리가 살려줬으니 개껌 주라. 멍멍멍"
짖는다.
"나쁜 놈들 주인을 버리고"
이렇게 우리들만의 소통한다.

눈이 감긴다.
점심 먹고 나니 나도 모르게 소파에 기대어 입을 버리며 꾸벅꾸벅한다.
한참 이 땅 저 땅 계약 성공하고 있을 때 딸랑하는 소리에 눈을 뜬다.
길 건너 중국집 사장이다.
표정이 안 좋다.
"소장님"이놈의 소장님 소리(나는 대장님 소리 듣고 싶다.)
"네, 안녕하세요 어쩐 일이신지 앉으세요. 커피 드릴까?"
"한 잔 주세요"
캡슐커피 한 잔을 내려줬다.
오고 가는 정에 가끔 군만두 서비스받고 그런다.
"무슨 일 있습니까?"
"우리 상가 주인이 어제부로 바꿨다고 하는데"
"그래요?"
나는 다른 거는 관심 없다.
어느 부동산에서 중개했는지 솔직히 배가 아플 뿐이다.
"장사도 안 되는데 주인 바꿨다고 찾아와서 계약서 쓰자고 하네요."
"기간이 얼마나 남았죠"
"1년 반쯤 남았는데요. 내가 계약 못 한다고 보증금 빼달라고 했습니다. 아무리 그래도 임차인한테 한마디 말은 해줘야 하는 거 아닙니까?"

"그렇지요."

"그랬더니 내보고 아직 기간이 남았으니.같은 조건에 다른 사람을 구해오라고 하네요.무슨 방법이 없을까요?"

"글쎄요. 그 부분은 저도 자세히 모르겠네요."

(속으로는 계약 안 해도 됩니다. 1년 반 안 채우고 나가도 됩니다. 이렇게 말하고 싶었지만, 분쟁이 커질까 봐)

이럴 때는 모른 척하는 게 나을 때가 있다.

소통만 있었다면 이런 일은 안 일어났을 거다.

그리고 임대차계약도 내가 계약한 것도 아니다.

비슷한 사례가 있었다

우선 임대인 즉 소유자가 변경되면 임차인은 임대차계약을 해지할 수 있다는 판례가 있습니다.

그래서 항상 이런 경우에는 매매계약 시 임차인이 입회하여 임대인 변경에 대한 동의를 받는다.

입회 없이 계약 체결 시는 잔금 납부 시 임차인의 동의서를 제출한다는 특약을 기재한다.

판례<대법원 1998.9.2 98마 100결정>

임대차계약에 있어 임대인의 지위의 양도는 임대인과 신소유자와의 계약만으로써 그 지위의 양도를 할 수 있다 할 것이나, 이 경우에 임차인이 원하지 아니하면 임대차의 승계를 임차인에게 강요할 수는 없는 것이어서 스스로 임대차를 종료시킬 수 있어야 한다는 공평의 원칙 및 신의성실의 원칙에 따라 임차인이 곧 이의를 제기함으로써 승계되는 임대차 관계의 구속을 면할 수 있고, 임대인과의임대차 관계도 해지할 수 있다고 보아야 한다.

11.칭찬

-장 자크 루소-

한 포기의 풀이 싱싱하게 자라려면 따스한
햇볕이 필요하듯이 한 인간이 건전하게
성장하려면 칭찬이라는 햇살이 필요하다.

모처럼 파~아~란 하늘이다.
아침 기온은 아직 차다.
파란 하늘 탓인지 나의 체감온도는 포근하고 따시다.
신이 주는 최고의 선물이 날씨라 했던가?
"감사합니다. 감사히 받겠습니다."
내가 아는 모든 신게 대답해 본다.
인간이 주는 최고의 선물은 칭찬이라 했다.
차 유리에 비친 내 모습을 본다.
"잘생겼네! 이 나이에 이 정도면 동안이지 성격 좋지, 잘해왔고
멋지다."
가끔 혼자 나에게 주는 칭찬이다.
나는 나를 사랑한다.
뒷골이 땡긴다.
누가 레이저를 쏘는 것 같다.
멀뚱멀뚱 두 놈이 나를 째려본다.
"오빠야 주인 놈 또 시작이다. 멍멍멍"
"약 먹을 시간인가 보다. 멍멍멍"
괜히 미안하다.
그래 '칭찬은 고래도 춤춘다' 했다.
"엠버야 오늘따라 왜 이리 멋져 보이노 너무 멋지네!"
그러고는 쓰다듬어준다.
"달코도 귀엽고 너무 착해"
으르렁댄다.
안 하는 짓 하지 말란다.
알게 되었다.
'칭찬은 강아지는 춤추게 못 한다.'
간식을 주니 꼬리를 흔든다.
(가식적인 칭찬은 하지 말자.)

출근하자.

이상하기만큼 조용한 하루인 것 같다.

(사실 요즈음은 항상 조용하다.)

모처럼 엉덩이를 책상 의자에 진득하게 붙여서 책 봐야겠다고 마음먹었다.

어제 퇴근길에 서점 들러서 사 온 책을 펼치는 나 자신에게 칭찬하며 책장을 넘겼다.

(나 서점 가는 이런 놈이야, 나 이런 사람이야♪♬♬♪♪♪)

사실 나는 생긴 거와 다르게 책을 좋아한다.

못해도 월에 4권 이상은 읽으려 한다.

더 읽을 때도 있다.(나란 놈이란)

주로 인문학책을 좋아하는데 어제는 이상하게도 가끔 읽는 김진명 작가 쪽으로 눈을 돌렸다.

"고구려 좋았어! 6권까지네 거금 나가겠네!"

으음 그래 까짓것(맘속은 덜덜 떨면서)

얼마나 지났을까 1편을 다 읽어갈 때쯤 스트레칭 좀 해야겠다고 일어나는데(이놈의 지긋지긋한 허리 통증)

"계십니까?"

이 중저음의 느끼한 목소리 순간 책상에 놓인 탁상 달력을 보니 딱 오늘이네.

매월 이때 오는 인간이다.(월급날이라나...)

군대 친구다.

"모하노?"

"책 본다"

"책 같은 소리 한다, 나가자"

나이는 동갑인데 사실 나보다 4개월 고참이다.

아직 자기가 선임인 줄 알고 있는 것 같다.

어디 가자고 약속도 말도 없어도 알아서 목적지를 향해 걸어간다.

돼지국밥집이다.

"어서 오세요"

"어, 김 소장 왔냐"

사모님이 아는 척하고 다가온다.

겉모습은 내보다 10살은 많아 보인다.

(나의 뛰어난 눈썰미로 사업자등록증을 본 적이 있는데, 내보다 2살 많다.)

그래서인지 자꾸 막냇동생처럼 한다.

(아무튼, 날 어려봤으니 참아야지)

우린 수육 대자에 오늘은 좋은 날이 그거 한 병 시켰다.

"안 그래도 내가 사무실 찾아 갈랬는데 잘 됐다."

무슨 말을 하려는지 모르겠지만, 나한테 땅을 사거나 집을 사거나 그런 분위기는 아닌 것 같다.

얼굴이 불만이 많아 보였다.

(원래 그런 얼굴인 것 같지만)

"이모"

건너편 테이블에서 부른다.

"묵고 있으래이"

(그럼 안 묵고 기다릴 수 없잖아, 당연한 말을...)

"어찌 지내노?"

이놈은 소주 한 잔 들어가면 그 중저음 목소리가 가수 김종국 목소리가 된다.

사실 내가 생각하기에는 이 목소리가 맞는 것 같은데 자꾸 중저음 목소리를 낸다.

조금 조용해지니깐 사모님이 우리 테이블에 앉더니 친구 놈한테 잔을 내민다.

그걸 또 그놈은 또 술을 따라준다.(어이구)

"영감탱이가 욕심이 끝이 없다."

"누구?"

(수많은 영감탱이 있지 않은가 왜 물어보게 하는지)

"건물 주인 영감, 장사가 좀 된다는 소리를 어디서 들었는지 작년에 월세를 올려 달라 해서 올려줬는데 이제 자기 아들이 장사해야 한다고, 내년 초에 빼란다."

"아~~~"

이놈은 아무 의미 없는 감탄사를 연발한다.

"몇 년 동안 장사 안될 때는 있어 달라고 찾아와서 과일도 사다 주고 그러더니 이제 나가라 하네"

"아~~~"

이놈은 또 지랄이다.

"그래서 내가 알아보니깐 뭐 상가 임대차법이란 게 바뀐 게 있더만?"

그럼 그렇지 이런 거만 물어보고 딴 데 가서 상가 살 사람이지

(전형적인 밉상이다)

"있죠, 바꼈죠."

"내가 그래서 바뀐 법도 모르냐고 큰소리로 작년에 월세 올려줬으니 앞으로 8년은 더 있을 그거라고 큰소리쳤다."

"내 똑똑 하제 내 말이 맞지."

으슥하면서 소주잔을 든다

"이모 똑똑하네.최고네!"

이놈은 그걸 맞장구 친다.

잔도 친다.

쌍으로 쇼를 한다

"건물 주인 영감은 뭐라 하던데요?"

"끊어버리던데.혀를 차면서 오늘 전화 올거다 아마도 알아보고"

순간 낮에 읽었던 고구려 장수가 웃는 줄 착각이 들었다.

"이모 내년에 나가야 할 거 같은데요! 그게 처음 입점 즉 처음

계약하는 날로부터 10년입니다."
"뭐라노?김 소장 이래서 부동산 해 먹겠냐 이리 몰라서 앞에 박
소장이 나한테 있어도 된다 하던데."
그라면서 기분 나쁜지 휴대폰을 찾더니 들고 나간다.
뭐지 이 기분.
돼지국밥집 와서 또 '판례'를 뒤져보게 됐다.

<판례>대법원 2006.3.23선고 2005다 74320

상가건물 임대차보호법 제10조 2항은'임차인의 계약
갱신 요구권은 최초의 임대 기간을 포함한 전체 임대
기간이 5년을 초과하지 않는 범위 내에서만 행사할
수 있다'라고 규정하고 있는바, 위 법률 규정의 문언
및 임차인의 갱신 요구권을 전체 임대 기간 5년의 범
위 내에서 인정하게 된 입법 취지에 비추어 볼 때
'최초의 임대차 기간'이라 함은 위 법 시행 이후에 체
결된 임대차계약에 있어서나 위법 시행 이전에 체결
되었다가 위법 시행 이후에 갱신된 임대차계약에 있
어서, 모두 당해 상가건물에 관하여 최초로 체결된 임
대차 기간을 의미한다고 할 것이다. (현행법 10년)

12.감사

-오프라 윈프리-

감사하는 것이야말로 당신의 일상을 바꿀 수 있는 가장 빠르고 쉬우며 강력한 방법이라고 나는 확신한다.

나는 아마도 흰머리가 올해는 더 많아질 거 같다.

정월대보름 전날 밤을 꿀잠을 잤다.

나는 아마도 귀가 밝아지고 일 년 동안 즐거운 소식을 듣지 못할 것 같다.

오늘 아침밥 먹기 전에 청주 한 잔을 못 했다.(귀밝이술)

대보름 전날 밤부터 오곡밥과 나물을 먹어야 한다.

대보름 전날은 5끼를 먹어야 한다는데 나는 전날 밤 이슬이와 헤어지고 만난 친구(이슬이는 참이슬)새로를 만났다.

(새로가 잘 맞다. 혹시나 모를 분을 위해 새로는 소주다.)

동네가 정월 대보름 축제에 미나리 축제에 시끌시끌 하다.

손님이 오신다 해서 최대한 기분을 업 시켜본다.

"다 잘될 거다.나는 모든 면이 날마다 나아지고 있다."

주문을 외우고 출근한다.

사무실 문을 열려고 하니 밤새 산타 할아버지가 왔다 갔는지 웬 보따리가 문고리에 빨리 꺼내주시라면서 대롱대롱 매달려있다.

뭘까? 누가 놓고 갔을까?

역시 사람은 착하게 살아야.....

자기애가 상당히 강한 놈이다.

땅콩과 호두다.

아~~삼성생명 대출상담사가 놓고 갔다.

물론 주변 부동산 다 주고 가겠지만 감사하다.

"여보세요~~~ 아 팀장님 고맙습니다."

"아, 아닙니다. 안 계셔 걸어놓고 왔습니다."

기분이 좋다.

단순한 놈이다.

혼자 콧노래를 부르며 커피 한 잔을 탄다.

'커피는 역시 믹스다'

그렇게 얼마나 시간이 갔는지 새로라는 친구가 흔적을 남기기 시작한다.

배가 아프다.

못 참겠다.

친구의 흔적을 깔끔히 보내고 나니 몸이 가볍다.

사무실에 들어오니 그 짧은 시간에 누군가가 왔다 갔나 보다.

물티슈와 볼펜 등등 책상에 놓여있다.

분양팀이다.

"여보세요~~소장님 기다리다 안 오셔서 놔두고 갑니다."

"아 감사합니다."

나는 짧았다고 생각했는데 좀 오래 앉아 있었나 보다.

12시쯤 오시기로 한 손님이 오셨다.

"김 소장 그 상가 말이다.계약합시다 그 세입자가 기간이 얼마 남았다고 했노?"

아마 이렇게 통화 많이 하고 만난 손님은 없었다.

태연한 척 답한다.

속은 벌써 샴페인 터졌다.

"아마도 1년 좀 넘게 남았을 겁니다."

스타벅스 캡슐을 한잔 내린다.

"잠시 기다려 보세요. 상가 주인분이 이 아파트 삽니다."

"여보세요. 사모님 댁입니까?"

"네 집인데요."

10분쯤 지났을까?

무슨 패션인지 모르지만 난해한 옷을 입고 사모님이 들어온다.

아직 계약서도 안 썼는데 입이 귀에 걸리라는 걸 애서 참고 있는 게 보인다.

"사모님 그 고깃집 기간이 얼마 남았어요?"

"1년 반 남았어요."

목소리가 아주 밝다.

"근데 고깃집 사장님도 알죠. 가게 내놓으신 거 갈 때마다 안계시고 명함을 놓고 와도 전화도 안 오고."

"장사가 잘됐다가 요즘 쪼매 안돼서 세를 깎아달라고 2달 전쯤 통화했는데 근데 고깃집 사장이 알아야 해요."

이건 무슨 말인가?

"당연히 알아야죠."

"왜 내 상가 내가 팔고 그대로 안고 사는 건데?"

매수자 사장님 표정을 보니 맞는 말인데 왜 그라노 이런 표정이다.

어찌 모르고 할 수가 있나?

가끔 잔금 다치고 통보하는 경우도 있다고 한다.

말도 안 되는 소리다.

아무튼, 한번도 그렇게 해본 적도 없다.

나는 또 전문가의 포스를 하면서 아까와 다른 목소리로 굵고 근엄하게 설명한다.

법과 판례를 내가 생각해도 완벽한 설명이었다.

'나라는 놈은 못 하는 게 없어'

오늘 컨셉 왜 이러지.

두 분의 표정을 보니 완벽하게 이해한 것 같다.

그러나

"그냥 계약서 씁시다.뭣이 지가 어쩔 거고 안 그래요?"

주인 사모님이 갑자기 내 목소리보다 굵게 이야기한다.

순간 또 쫄았다.

매수자는 내 눈만 멀뚱멀뚱 본다.

"안됩니다. 차후 문제 일어날 수 있다니깐요.고깃집 사장님이 갑자기 보증금 빼도 내는 모르겠다. 하면 어쩔 겁니까,"

"아!그 사장한테 말하면 어디서 또 알아보고 가게 뺀다는 거 아니가?"

그럴 수도 있다.

그런 경우도 있었다.

"김 소장 어찌하면 되노? 이라면 계약하면 안되는 기가?"

"잠시만요."

애써 아무렇지도 않은척한다.

"사모님 2달 전에 얼마 월세를 얼마 깎아달라던데요?"

"20만 원 정도."

"그라면 이렇게 합시다. 사모님 200만 원만 매매대금 깎아주세요. 좀 양보해주세요. 저도 수수료에서 40만 원 매수자 드릴게요.(대부분 매수자분은 안 받는다. 안 그래도 매수금액을 1000만 원을 깎아놓은 상태라 200이 상당히 크다고 생각할거다.)

그렇게 해서 고깃집 사장님 월세 줄여주는 조건으로 거래합시다. 사모님 은행 이자 한두 달 더 내는 겁니까."

그렇게 침묵이 좀 흐르자.

"그랍시다.좋은 게 좋은 거니깐?"

그렇게 고깃집 사장님과 통화해서 알려주고 내일 계약서 쓸 때 사무실에 오기로 했다.

항상 이런 경우에는 매매계약 시 임차인이 입회하여 임대인 변경에 대한 동의를 받는다.

입회 없이 계약 체결 시는 잔금 납부 시 임차인의 동의서를 제출한다는 특약을 기재한다.

그렇다.

앞에 소통이라는 글도 올렸지만 소통이 안 될 시에는 추후 문제가 생길 수 있다.

> 임대인이 즉 소유자가 변경되면 임차인은 임대차계약을 해지할 수 있다는 판례가 있다.

13.친구(단독 주택)

인생으로부터 우정을 없앤다는 것은
세상으로부터 태양을 없애는 것과 같다.

-괴테-

날씨가 구질구질 하다.

그러더니 비가 시원하게 내린다.

봄비인가 보다.

괜히 센티 해진다.

아~~막걸리가 생각나네

딱인데.

내적 갈등이 또 생겼다.

집에 가서 낮술이나 한잔할까? 아니야 사무실에서 일이 없으면 책이라도 보자.

'띠리띠리띠리~~'

전화벨이 울린다.

익숙한 친구 놈 이름이 보인다.

반갑다.

"여보세요~~푸하하하"난 전화를 받자마자 웃기 시작했다.

"미친놈 왜? 웃고 지랄이고!"

"푸하하 니도 내처럼 낮술이 땡겨서 전화 했제?"

"적당히 해라. 뭉디야 뭐 좀 물어보자."

실망감에 목소리가 풀이 죽었다.

이놈은 참 고마운 친구다.

내가 고3때 잠시 일탈했을 때 먼저 공부에 담을 쌓고 독립해서 나를 재워주고 술 담배 사다주고 아무튼 고마운 친구다.

어렸을 때부터 공부는 못하는 놈이었다.

자기도 인정한다.

고2 때 학교를 용감하게 나와서 사회에 먼저 뛰어든 놈이다.

어렸을 때는 가끔 맞춤법이 틀려 이놈 글을 읽을 때는 힘들었다.

그래도 책을 엄청 좋아하는 놈이다.

만화방에서 안 본 만화가 없다.

"물어봐라."

"내가 사무실을 하나 더 내려고 하는데?"

"이야 돈 많이 벌었나보군 술사라."

"시끄럽고 들어봐라."

"네~~~말씀하세요."

"사무실을 이번에는 단독주택이 많은 동네에 단독주택 1층을 사무실로 하려 하는데 그냥 집 전월세처럼 하면 되나?

그냥 계약서 쓰면 되나? 여기 부동산은 그라면 된다는데 그래도 물어본다."

"이야 그라면 2호점이네! 멋지다.......근데 그 주택이 가정집이냐?"

"응 일반 집이다. 주인이 좀 고쳐도 된다고 하던데?"

"아 이 새끼 똑똑한데 내한테 전화할 생각한 거 보니"

"왜?"

"그냥 쓰면 안 된다. 나중에 잘못될 수 있다. 말해주면 뭐해 줄거야~~~~"

최대한 애간장 태운다.

"평생 배달 무료해줄게."

"이 새끼 봐라. 나를 바보로 아네 우리 동네는 오지도 않는 배달을"

"시끄럽고 말해라"

어렸을 때부터 그렇게 '빠라빠라빠라빠' 하고 돌아다니더니 배달업체를 차려 성공했다.

참 직업을 잘 택한 것 같다.

"잘 들어라. 그냥 전월세 계약 쓰면 안 되고, 아니다. 내가 문자를 보낼게 그대로 부동산에 가서 해달라 캐라."

"오케이"

끊어버린다. 참 사가지가 누구 친구답다.

문자를 보낸다.

단독주택을 사업용 사무실로 임차하여도
사업자등록의 대상이 되면 < 상가임대차법 >이 적용된다.
상가건물인지 판단 기준은 임대차계약 체결 당시 기준이다.
그러므로 주거용으로 임대차한 후 임대인의 동의 없이
영업용으로 사용하는 경우는 <상가임대차법>적용을
받지 못할 수도 있다.
거래 계약서 및 확인 설명서를 작성할 때는
공부(건축물대장)를 기준으로 주거용으로 기재하며
(확인·설명서상 용도는 건축물대장상은 단독주택이고,
실제는 사무실로)
또한, 특약에 '단독주택을 사무실로 임차함' 기재하면 좋다.
그래야 추후 계약을 갱신하더라도
<상가임대차법>에 의한 차임 또는 보증금 증액을
적용받을 수 있다.

14.조팝나무(헛 수고)

희망이 없는 일은 헛수고이고,
목적 없는 희망은 지속할 수 없다.
-콜리지-

출근하려고 시동을 켜놓고,

예열을 좀 시키고,

엉뜨도 좀 해놓고,

내려 주변을 둘려본다.

쌔싹들도 봄방학을 해서 안 나오고 있나 보다.

'으이구 추버라'

차에 올라타려는데 자꾸 시선이 간다.

조팝나무다

발음을 잘해야 한다.

조~~팝나무

이렇게 조~~를 길게 끌어도 안 되고 조를 강조해도 안된다.

'조팝나무'

꽃이 좁쌀을 튀긴 거 같다고 해서 조~~팝나무다.

좁쌀보다 큰 쌀로 밥을 한 것 같아 흰 쌀밥이 생각나는 이팝나무가 사촌이다.

조팝나무꽃 꽃말이 허무하다.

'헛수고' '노련하다' 이런 꽃말이다.

왠지 오늘 헛수고할 거 같다는 예감이 머리를 타고 입가에 쓰윽 썩은 미소를 짓게 한다.

며칠 동안 울산에 상업지 브리핑을 열심히 했다.

오늘까지 매수인이(투자자) 답을 준다고 했다.

"따르릉따르릉"

"여보세요~~~네 사장님 말씀하세요."

아주 친절하게 전화를 받는다.

"네…. 네..., 어쩔수없죠"

목소리가 점점 힘이 없다.

"네 연락주세요.네~들어가세요"

이런 젠장 무슨 타로점도 아니고 꽃말 점 인가?

'헛수고'

이런 '조~~~팝 나무' 같으니 소심하게 작게 구시렁 거린다.

거래 성사 안 되는 핑곗거리는 다 똑같다.

'좀 비싸다. 마누라가 반대한다. 등등'

애써 태연한 척한다.

"괜찮아 잘했어"

쓰담쓰담 머리를 쓰담아준다.

이쒸~머리 파마 하려 가야겠다.

가끔 파마한다.

"안녕하세요."

"어서 오세요 소장님~"

몇 년 단골인데 몇 달 전 계약서 문제로 설명하다가 내가 부동산 하는 걸 알게 됐다.

어디 잘 알리는 스타일이 아니다.

"또 어제 이슬이 만났나 봐요."

이슬이는 성이 참이다. (참이슬)

"어찌 알았어요 귀신이네."

젠장 그냥 던진 말이다.

뭐지 이렇게 다 맞아 가는 건?

업을 바꿔야 하나?

"또 왜 마셨어요?"

"안 그래도 몇 달 전 소장님이 이야기 해줘서 가게 주인한테 이야기해서 마무리 지었는데, 그때 자기 마음대로 안 돼서 제가 꼴 보기 싫은지 이번에도 태클을 걸어요."

무슨 유도 선수도 아니고 매번 태클을 건다는 말인지 사람들이 대화하면 꼬옥 두 번 물어보게 말한다.

"뭔 태클?"

"가게를 '전대차' 하려는데 주인이 허락을 안해줘요. 밑에 부동산에 물어보니 허락해야 한다고."

용어는 어디서 들어 봤는지 모르지만 맞는 말이다.

전대차는 주인의 동의가 필요하다.

"왜 가게 안 하고 누구한테 세를 줄라고요?"

"아니 그게 아니고 저기 입구 쪽 모퉁이에 3평 정도만 네일샵 하는 동생이 세를 달라고 해서요."

"어떻게 밑에 부동산에 말했는데요?"

"가게 전대차 놓으려는데 어떻게 하냐고 물었죠."

나는 사장님 얼굴을 쳐다봤다.

너무나도 자신만만하고 '내가 좀 안다' 라는 표정으로 으쓱대고 있다.

"자~~~따라 해봐요. '샵~인~샵' 해봐요."

유치원생 가르치듯이 차근 차근 굵은 목소리로 말했다.

그러자

"나도 알아요 샵인샵!"

그것도 모를까 봐요.

그런 표정이다.

"이런 경우를 샵인샵 이라 합니다. 샵인샵은 주인한테 허락 안 받아도 돼요."

사장님이 날 뻔히 쳐다본다.

"그래요 그런데 왜 밑에 부동산은 허락받으라고."

"사장님이 전대차 놓는다니깐 허락받으라고 하죠. 전대차는 허락받아야 해요."

"아하! 그래요~~역시 우리 소장님은 노련하고 멋져요."

헉 내가 여기서 노련하다는 말을 들을지는 몰랐다.

조팝나무꽃말이 신기하게 맞다.

여러분들은 굳이 부동산 용어를 써가면서 부동산을 찾아가서 말

을 하지 마세요

이렇게 오해 아닌 오해가 될 수 있어요

'전대차' 쉽게 말해 기존 임차인(갑)이 기간이 남았는데 주인(임대인) 동의를 얻어 다른 임차인(을)에게 임대를 놓는 걸 말한다.

꼭 주인의 동의가 필요하다.

그러나,

> 가게 안에 일부를 임대주는 흔히 '샵인샵'은 주인의
> 동의가 필요 없다.

우리는 '전대차' 보다 '전전세' 라는 말을 많이 들었을 거다.

차이는 이거만 알면 된다.

> 전세권설정이 됐나 안됐나.
> 됐으면 '전전세'
> 안됐으면 '전대차'

이 정도만 알고있어도 부동산업을 안 하는 사람들은 충분하다고 봅니다.

더 자세한 거는 우리 공인중개사들이 만나면 설명해 드릴 겁니다.

15.분필

나눔은 우리를 '진정한 부자' 로 만들며,
나누는 행위를 통해 자신이 누구이며
또 무엇인지를 발견하게 된다.
       -마더 테레사-

실눈을 살짝 떠본다.

아직 어둡다.

느낀다.

아마도 새벽 5시 반쯤 된 듯 눈을 다시 감고 생각한다.

내가 왜 이럴까?

정말 아침형 인간이 되어가고 미라클모닝을 맞이하는 걸까?

머리맡에 놓인 폰을 본다.

7시 35분이다.

개뿔'미라클모닝'은 무슨...그래도 오늘은 여유 있는 아침이다.

사무실 안 가고 바로 물건 보려 임장 활동하려고 간다.

그냥 땅 보러 간다.

아는 소장님과 같이 가기로 했다.

아침 시간을 즐겨보자.

테라스 한쪽 구석에 자리 잡고 있는 바(bar)를 좋아한다.

(내가 자작한 거다.)

여기서 커피나 맥주 한잔 마시면서 책 보는 걸 좋아한다.

그러면'청승 떨고 있네'라는 소리와 눈초리를 받는다.

가끔 전깃줄에 까마귀가 앉아서 친구인지 알고 놀자고도 한다.

'아무리 내가 새까맣다 해도 너보다는 하얗다.'

니 친구 저기 더 까만 친구 엠버있다.(엠버는 우리 집 강아지다.)

'거기 가서 놀아'

여기 이사 온 지 얼마 되지 않았을 때다.

여기 앉아 있으면 밑에 집 정원 주인 두 놈과 눈이 마주칠 때가
있었다.

도베르만 종 두 놈이다.

엄마, 아들이다.

처음에는 적응이 안 됐다.

지금 생각해도 웃긴다.

"아배 새꺄 왜 말을 안 듣노 트롬푸 새꺄는 어디 갔노?"

주인아저씨 사랑의 훈계 소리다.

엄마 도베르만이 아배다.(소리 나는 대로 적은 거다.)

아들이 트롬푸다.

어르신이 약주 한잔하면

"이놈의 트롬푸xx야 니는 왜 그리 천방지축이고 이집 저집 안 가는 데가 없고 으이구 말 좀 들어라."

그런데 내가 주관적으로 봤는지 모르지만 유난히 아배를 싫어했다.

엄마 아배는 누가 봐도 늠름하고 영리하고 멋지고 그런 놈이었다.

아배 부르면 우리 집까지도 뛰어오고 내가 산책하러 가면 잘 따라온다.

그런데 아배를 유난히 싫어했다.

무슨 이유인지는 모르겠다.

트롬푸는 아직 애기다.

1살짜리 애기였다.

그래서 누가 봐도 천방지축에 동네 꼴통이었다.

3년 전에 어르신은 바다가 좋다며 아배랑 트롬푸를 데리고 거제도 쪽으로 갔다.

참 괴짜 같지만, 항상 밝고 똑똑하신 분이었다.

술을 한잔 먹으면 항상 맛있는 거 같이 먹자 하시고 좋은 거는 갖다준다.

요즈음 트럼프가 다시 거론되니 왜 나는 꼴통 트롬푸가 생각날까?

참고로 우리 집 윗집 정원 주인 놈들은 '망고 베리'다.

형님이 '망고' 동생이 '베리'다.

이러다 동네 개 족보 적다 끝나겠다.

커피 한잔하면서 오늘 할 일을 생각해 본다.

(나는 소장님이랑 땅 보고 근처에서 점심 먹고 서점이나 들렀다
가 와야겠다.)
씨익 웃으며 커피를 마시니 옆에서 우리 주인 놈들은
'또 꼴값하고 있네!'
그런 눈으로 나를 보고 있다.

"김 소장 좋제."
"좋네요."
"금액이 커서 부담이 되긴 하지."
아무 말도 안 하고 서류 보고 있으니 자꾸자꾸 말을 한다.
"죽이제?근데 너무 쎄나?"
뭐가 죽이고?쎈지?
"김 소장 돈 좀 있나 나랑 같이 이거 사자."
'내가 돈이 어디 있는교?'
우리 어머니 18번이다.
나도 모르게 닮아가고 있는가 보다.
"농담이고 투자자 있으면 같이 하자."
저 외모에서 저런 단어를 섞어 저런 말투가 어떻게 나오지 싶다.
내가 봤을 땐 정말 지적으로 보이고 소심해 보이는 외모다.
(xx 부동산 여자 소장님이시다.)
자꾸 내랑 동갑이라고 반말을 한다.
그냥 넘겼다.
"소장님 반 내 반해서 우리가 사서 분할 합시다."
나는 의아하게 쳐다봤다.
"딱 반반씩 분필하면 요즘 꼬마빌딩도 잘나가고 하니깐 괜찮은
거 아닐까?"
"나는 돈 없소 그리고 농담이죠 보니깐 80평 안 되던데 이것도
꼬마빌딩인데 그리고 상업지역입니다."

나를 의아하게 쳐다본다.

진짜 모르는 걸까?

민망해할 것 같아서 말을 아꼈다.

분필은 필지를 분할하는 것을 말한다.

필지는 쉽게 지번 부여된 토지를 필지라 보면 된다.

그러니깐 하나의 필지를 두 개, 세 개 분할하는 거를 분필 이라 한다.

2개 3개를 합하는 거는 합필이라 한다

분필 합필의 조건은 많다.

하나하나 따져서 알아가는 건 추후 알아가도 된다.

그냥 가장 기본적인 거만 알아도 아하 그렇군 소리는 듣는다.

토지 분할 최소면적이다.

그러니깐 분할했을 때 이 최소면적은 넘어야 된다는 거다.

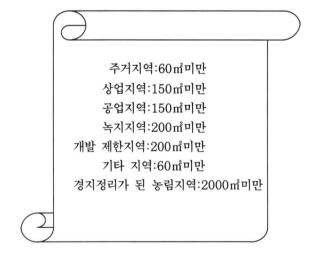

주거지역:60㎡미만
상업지역:150㎡미만
공업지역:150㎡미만
녹지지역:200㎡미만
개발 제한지역:200㎡미만
기타 지역:60㎡미만
경지정리가 된 농림지역:2000㎡미만

㎡는 쉽게 곱하기 0.3하면 평수가 된다.

(정확히는 0.3025)그러니깐 분필 하기 전 토지가 이 면적보다는 2배가 되어야 하는 거다.

물론 최소면적에 미달하더라도 예외적으로 허가를 받은 경우, 분할은 가능하다.

토지분할 이 제한 되는 경우도 있다.

, (쉼표)

꾸니왕

아직
내가 못 일어나는 것 같다.
문뜩문뜩
스치는 기억에
혼자 풀썩 주저앉으며,
한없이 눈물을 흘리며,

그리고
다시
일어나려 하면
누군가가
자꾸
내 바짓가랑이를
잡으며 주저앉힌다.

그러며
누군가가 속삭이는 거 같다.
좀 더
슬퍼하고 울어도 된다고,
좀 더
주저앉아있어 된다고,

16.합의

-헬렌켈러-

나는 합의를 거친 평화는 원치 않는다.
나는 평화를 가져오는 합의를 원한다.

잠을 못 자서인지 8시가 다 되었다.
"일어나시오."
어디선가 들린다.
잔다.
자는척한다.
스님도 동자승 자는 거는 깨울 수 있어도
자는 척하는 동자승은 못 깨운다 했다,
누가 그랬냐면,
경자 씨가 말했다.
우리 엄니다.
(전국의 경자 씨들에게 사죄드립니다.)
깨운다.
일어났다.
나는 늙었다.
동자승이 아니라 깨울 수 있나 보다.
"애들 똥 뉘고 오시오."
"네네"
나를 깨운 이유가 애들 똥이다.
말 그대로
(개똥이다.)
"가자. 똥 누려."
이 말과 동시에 난리다.
물먹고 누가 보면 썰매라도 끌 정도의 스트레칭을 한다.
"안돼. 안돼."
산책로를 가는 동안 얼마나 반복했는지 모르겠다.
미나리 축제에 매화 축제에 광장에 흔적들이 화려하다.
이놈들에게도 축제다.
"가자~~~좀"

겨우 설득과 협박으로 벗어나 산책로를 들어서 목줄을 푼다.
뛴다.
신이 났다.
한쪽 구석에서 배출도 하고 자연스럽게 풀도 뜯어 먹는다.
'개 풀 뜯어 먹는 소리 하지 마라'라는 말이 있다.
개 풀 뜯어 먹는다.
잘 먹는다.
그것도 아주 맛있게 먹는다.
"이리 와~~집에 가자."
안 온다.
"엠버. 달코!"
화가 잔뜩 난 목소리로 애들을 부른다.
안 온다.
쳐다만 보고 개 풀 뜯어 먹고 있다.
"이놈들 누가 보면 밥도 안 주고 그런 줄 알겠다."
혼자 구시렁 그리면서 가본다.
잡으려 가면 도망가고
그래 마음껏 놀고 뜯어먹어라 하고 포기했다.
뭘 뜯어먹는지 주변을 보니 할미꽃이 올라오고 있었다.
할미꽃 꽃말은
충성이다.
저놈들은 언제 충성할까?
'충성'까지는 바라지도 않는다.
쯤쯤쯤 집에 좀 가자.
내 출근해야 한다.
우리는 간식으로 합의 보고 집으로 왔다.
출근하자.
팩스가 온다.

종이가 씹혔는지 삐삑 거린다.

저놈의 팩스기도 나이가 들었나 보다.

촉각을 곤두세워 팩스기를 지켜보며 툭툭 쳐보기도 한다.

전화벨 소리도 요란하게 울린다.

"여보세요"

"친구, 내가 팩스 하나 보냈는데 좀 봐줘..."

뚜뚜뚜~~~

끊어 버린다.

썩을 놈.

팩스가 찌찌찍 거리면 나온다.

등기부 등본이다.

한눈에 봐도 복잡하다.

공동지분에..

소유권 이전 가등기에...

전화를 건다.

"여보세요."

"팩스 확인했어? 이런 상황은 어찌해야 하노?누구랑 계약하노?"

참 난감하다.

나도 한 번도 이런 상황에 계약서를 써보지 못했다.

당황하지 않는 척

"하지 마라! 계약하지 마라."

말했다.

내용은 이렇다.

박 씨와 김 씨의 공동 소유인 상가를(지분은 2분의 1이다.)

친구 놈이 보증금 1억/월세 300만 원 월세 임대차계약을 하려는

데 김 씨 지분에 또 최 씨의 소유권이전가등기가 되어 있다.

이럴 때 계약은 어찌하는지 누구랑 하는지?

나는 설명한다.

1)소유권이전가등기 보다 후순위권리인 임차권을
취득하는 것은 리스크가 크다.
가능하면 피하는 것이 좋지만 불가피하다면
리스크를 부담해야 한다.
2)공동소유자 전원(1명은 과반수가 못됨)과
계약해야하며, 김 씨 지분에 소유권이전청구권
가등기한 최 씨가 선순위로 본등기를 하면
임차인은 대항할 수 없으며 경락 시에도 문제가 된다.
한편, 임대인란에 박 씨 김 씨 외에 가등기권자인
최 씨를 공동임대인에 포함시키는 방법도 고려할 수는 있다.

다음날 전화가 왔다.
계약 안 하기로 합의를 했다.

17.돌멩이(예의)

요한 볼프강 폰 괴테 -

사람의 매너는 자신의 초상화를 보여주는 거울이다

6시다.

뭐가 잘못됐나?

알람 맞추지 않으면 7시 전에는 눈을 뜨지 않았다.

모두가 '미라클모닝'모닝 할 때 나는 그냥'굿모닝'만 했다.

이 몸뚱이도 한 살 더 먹었다고(구정이 지났다고)

잠이 없어졌나 보다.

그래 이왕 눈뜬 거 꾸물거리지 말고 일어나자.

두껍게 입고 나왔다.

다시 들어와서 갈아입지 않으려고 처음부터 두껍게 입었다.

춥다.

그런데 좋다.

아직 겨울 냄새가 난다.

으음~숨을 깊이 들이켜고 10초 참고 10초 동안 길게 내뿜고 반복한다.

그렇게 테라스에서 국민체조도 아닌 그냥 면민 체조쯤 되는 것을 한다.

헛둘.헛둘.헛둘셋.하면서

"춥다. 춥다. 아직 한참 겨울이다."

"나는 모든 면에서 날마다 나아지고 있다."

혼자 구시렁거린다.

나를 비웃듯이 한 모퉁이에 있는 연못 주변에서 개구리 한 마리가 목이 터질 듯이 운다.

"개굴개굴 춥기는 뭐가 춥노 개굴개굴."

저 개구리도 사투리를 쓰는 것 같다.

내가 몇 년을 살면서 지켜본 결과 이맘때 저렇게 우는 개구리는 수컷이다.

암컷을 부르는 거다.

'저 개구리 xx는 동면에서 깨어나자마자 짝짓기를 할 암컷을 찾

노 변태 xx'
혼자 쓰윽 웃는다.
누가 볼까 봐 표정 관리를 다시 한다.
(혼자서 별짓 다 한다.)
저렇게 왕성하고 부지런해서 알을 많이 낳나
'아 자고 일어나면......'
(죄송합니다. 39금 상상했어요)
그런데 이제 한 마리가 아니다.
주변에서 줄지어 몇 마리가 울기 시작한다.
아마도 암컷이 주변에 있나 보다.
'내가 더 멋진 놈이다'과시하는 것 같다.
테라스에서 내려가 화단에 있는 작은 짱돌을 주워서 연못에 던진
다.
순간,
'무심코 던진 돌이 개구리에 맞아 죽나?'미안함이 밀려온다.
혼자 말로'미안하다'를 한다.
아니야 내가 그렇게 제구력이 좋지 않다.
사회인 야구를 하고 있지만 나는 포수다.
혼자 구시렁 하고 그러는 걸 지켜본 주인 놈들이
"멍멍 꼴값을 떤다. 멍멍"그런다.

오늘도 파이팅 하자.
안개가 뿌옇다.
미세먼지도 심하다.
출근길이 뿌옇다.
강 건너 보이는 공장이며 집들이 형태가 없다.
사실 나는 이런 날씨를 좋아한다.
자세히 보아야 보이는 풍경들

(꼬옥 내만 볼 수 있는 풍경 같은 기분)
강 위에 걸쳐있는 물안개
산 중턱에 걸쳐있는 구름 같은 안개
그런데 오늘은 영~좋지 않다.
내 머릿속도 뿌옇다.
안개가 낀 것 같다.
그래서인지 돌아가야 하는 좌뇌, 우뇌가 안 돌아가는 것 같다.
그냥 멍하다.
이 부동산업을 시작한 지가 벌써 20년째다.
물론 중간중간 투잡 처럼 다른 사업을 병행하며 하였지만,
그래도 손을 놓지 않은 부동산일이다.
요즘 들어서 자꾸 일이 하기 싫다.
물론 예전처럼 일도 없다.
자의반, 타의반으로 사무실도 반으로 쪼갰다.
같이 하던 소장님, 실장님도 더 좋은 곳에 가서 일을 하게됐다.
그래서 반을 잘라 반은 임대를 놓았다.
운이 좋았는지 임대는 금방 나갔다.
아담하게 혼자서 쉬엄쉬엄하자는 생각으로 가끔은 아는
소장님들의 아지트로, (가끔 맥주도 한잔하고)
가끔은 내 도서관이 되고,
가끔은 아들딸 독서실이 되고,
나쁘지 않았다.
직원 없으니 직원들 눈치도 안보고 좋다.
대신 마인드 확립이 잘 안 될 때가 많다.
(농땡이 부린다)
이야기가 이상한 곳으로 흘려간다.

며칠 전 아는 소장님이 오래전부터 알고 지내는 지인이라며 같이

왔다.

40대 후반쯤 보였다.

많아야 내 또래로 보였다.

(물론 내가 동안이라 나를 어리게 봤을지도)

사기꾼 냄새가 풍긴다.

(그래도 소장님 지인이라는데)

농지를 찾는다 했다.

(차후 귀농할 거라고 한다.)

귀농은 무슨 속으로 콧방귀 한번 뀐다.

여기는 지역 특성상 차로 10분만 가도 도심에서 농지가 많다.

(농지를 찾는다고 하니)

얼마 전 딸기 사려 갔다가 안부 인사하고 온 어르신이 생각났다.

10년 전쯤 땅을 계약 성사시켜 줬다.

(아주 저렴하게 수수료도 저렴하게 아무리 생각해도 난 착한 것 같다.)

근데 어르신이 몸도 안 좋고 연세도 있고 해서 이제 농사 못 짓겠다고 임자 있으면 붙이라고,

"요즘 임자가 잘 없어요.임자는 옆에 할머니 있잖아요 꼭 잡고 계셔요."

하고 농담하고 온 기억이 난다.

현장 안내하고 밥도 먹고 그렇게 분위기 좋게 헤어졌다.

그런데 어제저녁에 어르신이 전화가 왔다.

'땅을 보고 간 사람'이라고 찾아왔단다.

띵~~~하고 뒤통수 맞은 기분이다.

뭐 그럴 수 있지 했다.

그런데 자기도 부동산을 한다고 명함까지 주고 갔단다.

뭐 그럴 수 있지 했다.

입가에는 썩은 미소가 번지는걸 나 스스로 느껴진다.

내용은 이렇다.

어차피 매도인(어르신)은 자경농지고 이것저것 따져봐도 양도세가 없으니

대출이 잘 안 나와서 계약서를 1억을 더 올려서 쓰자고

(말 그대로 업계약이다.)

분노가 머리끝까지 콸콸 말이 대출이 안 나와서 쓰자고 했지만 뻔한 스토리다.

그래도 그 어르신이 자기는 잘 모르니 모든 걸 김 소장한테 이야기하라고 했단다.

"고맙습니다. 어르신 큰일 날 뻔 했습니다.그거 함부로 했다가는 추후에 세금 몇천만 원 나옵니다."

그렇게 말을 하고 끊었다.

부동산 일을 하고 얼마 안 지난 해에는 업계약, 다운계약 나도 했다.

하지만 요즘 어느 누구도 잘 안 한다.

아직도 저러니 선한 공인중개사들이 욕을 듣는다.

요즘 과세관청이 바보가 아니다.

금방 파악한다.

만약 1억을 업 시켜 그 부동산 공인중개사가 계약을 성사시켜 과세관청이 비정상적으로 높은 매매대금이라고 파악하여 실제로 계약대금을 확인했다면 어찌 되는가?

비슷한 사례를 예로 삼아 판단해보겠다.

매도인은 양도세 2천5백 정도 부과되고 그러면 매도인은 그 공인중개사를 상대로 손해배상책임을 청구할 것이다.

실제로(수원지방법원 2016가단541402 손해배상(기)판결)있었다.

공인중개사가 손해배상 전체 손해액의 60% 책임있다고 판결이

났다.

이 사건은 양도소득세의 확인.설명의무가 조사.확인 대상이 된다는 것은 아니고 허위 계약서 작성 금지의무를 위반하여 발생한 손해 배상책임을 인정한 것이다.

다운계약이나 업계약의 허위계약은 그 자체가 금지대상이므로 그 사유로 발생한 계약해제 등의 손해, 양도소득세 추가부담 등은 공인중개사에게 손해배상의 대상이 될 수 있다. 중요한 것은 허위계약서 작성에 모든 거래대상자가 가담한 사건이므로 공제보상의 대상에서 제외될 가능성이 매우 크다.

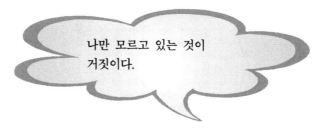

나만 모르고 있는 것이 거짓이다.

꾸니왕

18.크로커스(후회없는청춘)

-사기-

세월을 헛되이 보내지 말라.
청춘은 두 번 다시 오지 않는다

"멍멍멍"
"멍멍멍"
"멍멍멍"
"멍멍멍"
눈을 뜬다.
5시다.
희미하게 들리기 시작하는 개 짖는 소리가
점점 커지면서 결국은 나를 깨운다.
혹시 개들의 돌림노래를 들어봤는가.
동네에 고양이나 고라니같은 야생동물이 나타나면
꼭대기 집부터 짖기 시작하면 차례로 한 집씩 내려온다.
개들도 종에 따라 울음소리가 다르다.
이거는 글로 표현을 못 하겠다.
마지막이 우리 집 주인 놈들이 짖는 거로 끝난다.
그러면 그 야생동물이 다른 곳으로 간 거다.

모처럼 미라클 모닝 한다.
아침에 정원을 돌아보는 걸 좋아한다.
더더욱 이 시기에는 돌아봐야 한다.
잠깐 놓치면 인사도 못 하고 보내주는 놈들이 많다.
오늘은 이놈이 어제는 안 반기더니 오늘 드디어 반긴다.
크로커스꽃이다.
키 작은 크로커스꽃이다.
아마도 이번 주에 비 오면 떨어질 것 같기도 하다.
슈웅 가버린다.
돌아보지 않으면 아쉽게 가는 청춘처럼

출근합니다.

"돈 많이 벌어올 테니 주인 놈들아 집 좀 잘 부탁한다."
시동을 켠 채
"나는 모든 면이 날마다 나아지고 있다."
혼자 돌림노래를 하듯 3번 구시렁거리고 출발한다.
"까톡"
"점심 묵자. 내간다."
날짜를 보니 한 달이 다 되어간 것 같다.
군대 동기 놈이다.
이놈도 항상 이맘때 한 달에 한 번은 온다.
비슷한 놈이 있는데 군대 3개월 선임인데 동갑이라 친구처럼 지내는데 두 놈이 번갈아 가며 온다.
같이 오면 좋겠는데 모임 때 아니면 따로 온다.
벌써 27년 인연이다.
내 청춘을 같이 한 놈이다.
항상 뺑뺑이도 같이 돌고 그 당시는 얼차려도 워낙 심해 말로 표현을 못 한다.
동기가 유일하게 이놈뿐이라. 우리는 거의 함께했다.
제대하고도 항상 못해도 3달에 한 번은 본 것 같다.
우리 애들 기저귀며 옷이고 많이 사준 놈이다.
초중고 어릴 때부터 함께한 40년 친구들이랑은 또 다르다.
아무튼, 오래된 내 청춘을 함께 보낸 놈이다.
아직 한참 청춘이지만,
"밥 묵자~~"
"그랴...."
대답하고 일어서는데
"안녕하세요. 오랜만이네요."
"아이고~제수씨"
이놈이 제수씨를 데리고 같이 온 거다.

이거는 부탁할 게 있거나 물어볼 거 있을 때 하는 패턴이다.

한 번도 자기 입으로 부동산일 물어보거나 부탁도 안 하는 놈이다.

그럴 땐 제수씨 데리고 온다.

"친구야~오늘은 우리 마누라가 비싼 거 사준단다. 뭐 묵을래?"

"니를 잡아먹고 싶다."

점심부터 무겁게 샤부샤부 집이다.

"사실은 뭐 좀 물어보려고요?"

(거짓은 안 물어볼 건가)

"네네 밥값은 해야죠."

"그게 우리 상가 있잖아요 그게 이제 만기가 다 되어가는데 임차인이 계약 갱신해달라고."

"아~내가 그 xx 때문에 힘들어 죽겠다."

동기 놈이 합세한다.

"자기는 좀 가만히 있어봐라."

동기 놈 혼났다.

"자꾸 월세를 한 달 안 주고 다음 달같이 주고 또 몇 달 잘 주다가 또 2달 밀리고 다음 달 주고 그게 몇 번인지 우리도 좋을 때는 괜찮지만 이자도 올라갔고 코로나 때문에 세도 깎아줬는데 그리고 요즘 공장도 힘들고.."

아~이놈 무슨 공장하는데 무슨 공장하더라?

"집 밑에 부동산에 물어보니깐 계약 갱신해 줘야 한다는데 사유가 안 된다고."

"친구야. 어쩌노?"

이놈 웃긴다. 마누라 앞이라고 이제는

'어쩌노'말까지 한다.

"밥 묵자 좀"

나는 실실 뜸 들인다.

혼자 왔으면 좀 더 괴롭힐 건데.....

이놈도 똑똑하다.

(제수씨를 앞장세우고)

"쉽게 말할 게 갱신 안 해줘도 된다.

임차인이 어디서 잘못 듣고 3기 차임액만 안 밀리면 되는 거로 알았나 보는데, 법적인 3기 차임액이라는 게 밀렸던 금액 합계가 3기 차임액을 초과 시를 말한다."

그러니깐, 한 달 주고 한 달 밀리고 이렇게 3번만 해도 계약갱신 안 해도 된다는 판례가 있다.

"참고로~~크로커스 꽃말은 '후회 없는 청춘' 입니다. "

임대인은 임차인이 임대차 기간 만료 6개월 전부터
1개월 전까지 사이에 행하는 갱신 요구에 대해
정당한 시유 없이 이를 거절하지 못하나,
임차인이 3기의 차임액에 달하도록 차임을 연체한 사실이
있는 경우에는 임대인이 임차인의 계약갱신요구를
거절할 수 있도록 하고 있습니다.
(상가 임대차법 제10조제1항 참조)
여기서 3기의 차임액에 달하도록 연체한 경우란
연체된 차임의 총액이 3기의 차임액을 합한 액수에
달한다는 의미입니다
그러므로 위 경우에 3회에 걸쳐 월세 전부를 연체하였다면,
3기의 차임액에 달하는 연체를 한 것으로
볼 수 있으므로 임대인이 계약갱신 요구를 거절할 수 있습니다.

19.사과

지금 누군가에게 사과하기를
거절한다면,
이 순간은 언젠가 당신이
용서를 구해야 할 때로
기억하게 될 것이다.

- 토바 베타 -

♬비가 내리고 음악이 흐르며♬♪
노래 부르며 나간다.
주인 놈들의 시선이 따가울 정도로 째려본다.
"비가 와서 산책을 못 가는데 멍멍 너 혼자 신났네!멍멍"
어쩔 수 없잖아. 쏘리

차 시동을 켜니
라디오에서 봄비 소식을 알린다.
가만히 듣고 있으니 어제 아침 개구리에게 미안하다.
내일 비 올 거라고 예보 한다고 그리 울었는데 나의 사상이 꼬롬
해서 엉큼한 생각하고 돌도 던지고 쏘리다.
♬봄비 내리는 영동교를♪아 '밤비' 인가?
사실 노래는 좋아하는데 음치 박치에다 끝까지 아는 노래가 없다.
우리 동네는 지난주부터 미나리 축제를 한다.
미나리 삼겹살 적힌 노란 에어간판인가? 하는 놈들이 사람보다
더 많은 거 같다.
아직은 붐비지 않는 것 같다.
'비가 와서 어쩌노' 속으로 혀를 찬다.
아줌매 들 돈 많이 벌어야 하는데 내가 자주 들리는 비닐하우스
미나리 집이 있다.
거기 할머니는 미나리 인생 50년이란다.
아들딸 미나리가 시집, 장가 보냈단다.
라디오에서 흘러나오는 뉴스에 혼자 광분한다.
최근에 부동산 경기 좋았던 적이 있었던가, 또 안 좋아질 거라는
전망이다.
사실 이제는 별 감흥이 없다.
그래도 속으로는 좀 좀 한다.
노트북을 켜고 어김없이 경제뉴스를 뒤져본다.

어렵다.으음 하면서 보는데 모르는 단어가 더 많다.

이래서 사람은 공부해야 한다.

그러고 보니 오늘이 발렌타인데이란다.

나이 40중반을 넘어선 지금도 이날은 설레인다.

남들은 낼모레 50이다고 하는데 난 대한민국이 정한 만 나이를 줄곧 이야기 한다.

폰을 죽으라고 보는데도 카~톡이 안 온다.

카톡 선물을 은근히 기대한 나의 잘못이 피로감을 몰고 온다.

몇 년 전까지는 딸이라도 보내주더니 이제는 지 남자친구만 챙긴다.

이 배신감을 우리 엄니도 느꼈을 거다.

딸아! 니도 곧 느낄 거다.

그래도 초콜릿은 기다려본다.

퇴근 때까지 기대한다.

부동산 뉴스를 뒤져본다.

역시나 별 감흥을 못 느끼겠다.

조용하다.

비도 그치고 포근하다.

점심도 먹고

책도 보고

살짝 졸린다,

안된다.

'가성비 말고 시성비라 했다.'어디선가 보고 들은 것 같다.

1분 1초가 아깝다는 분초 사회다.

시간을 아끼는 사람들이 많아졌다.

그래 일을 하자.

물건 정리도 하고 전화도 몇 통 돌려 물건 확인하고 안부인사도 하고'그래도 2시네'생각에 잠긴다.

잠깐 졸았나 보다.

나 자신에게 사과한다.

"실례합니다."

"네 어서 오세요."

"혹시 임대료 저렴하고 괜찮은 빈 상가가 있을까요?"

아니요 없습니다.

괜찮은 상가는 임대료가 저렴하지 않아요

이렇게 솔직하게 말하고 싶었다.

"무슨 업종을 하실건데요?"

아주 중요한 거다.

그냥 처음부터 뭐를 할 건데 맞는 상가가 없을까요?

이렇게 물으면 되는데 꼬옥 물어보게 된다.

(학원 등 업종은 까다롭다.)

"편의점을 할까 하는데요?"

"아~~그래요. 잠시만요."

내 자리로 돌아와 노트북을 본다.

다이어리도 괜히 본다.

(사실 빈 상가는 몇 개 없다. 그냥 머릿속에 다 외운다.)

"여보세요~~~사장님 부동산입니다.잘지냈…….상가 혹시……손님 모시고 가보겠습니다."

사무실에 차로 10분 거리다.

차로 이동하면서 이런저런 이야기를…….

한결 친해진 듯하다.

(오직 내 생각일 뿐)

이게 뭔가 분명 물건 접수받고 현장 왔을 때는 공실인 상가였다.

"여보세요"

누가 들어도 미안해하게 괜히 언성을 높여 통화를 한다.

"아 네 일단 알겠습니다."

상가를 1개월 임대계약을 했다는 거다

어느 동네나 꼬옥 하나씩은 있는 간판은 없고'땡땡 속옷 땡처리'
현수막과 맞지 않은 속옷을 입혀놓은 마네킹이 몇 개가 있다.

손님에게 설명하니, 한달정도는 괜찮다고 한다.

일단 가게를 둘러보기로 하고 들어갔다.

"둘러 보세요."

나는 손님을 두고 한 손에는 스타킹을 끼고 있는 능청스럽지 못
해 변태 같아 보이는 남자에게 갔다.

"안녕하세요, 부동산에서 나왔습니다."

명함을 주니 명함 한번 내 얼굴 한번 훑어보더니

"네 왜요?"

퉁명스럽다.

"물건이 상당히 많네요?이거 한 달 안에 다 못 팔면 또 어디로
가서 장사합니까?"

"다 팔아야죠, 어디 가긴 어디 가요? 다 못 팔면 팔 때까지 있어
야지"

아차 싶다.

난 그길로 손님을 모시고 나왔다.

나는 손님한테 사과부터 해야만 했다.

다툼의 여지가 있다고 솔직하게 손님한테 설명하고 일단 보류시
켰다.

사례)

상가를 소유한 박 씨는 비어있던 상가를 속옷 할인판매업자 김
씨에게 1개월간 임대하기로 하였다.보증금 없이 월세 150만 원으
로 하고, 임차인의 연장 요구를 막기 위해 특약으로'임차인은 1
개월 후 원상회복하여 임대인에게 양도한다.'라고 명시하였다.

그런데 1개월 후 김 씨는 물건 재고가 아직도 남았으니 1년을
채우게 해달라고 할 수 있다.

질의 요지)

1) 김 씨는 상가건물 임대차보호법 제9조 제1항
"기간을 1년 미만으로 정한 임대차는 그 기간을 1년으로 본다."
라는 조항을 적용하여 임차 기간을 1년으로 요구할 수 있는지
요?

2) 박 씨는 위의 법 제16조
"이 법은 일시사용을 위한 임대차임이 명백할 때는 적용하지 아
니한다."라는 조항을 적용하여 김 씨의 기간연장 요구를 거부할
수 있는지요?

　　　　<법무부 법무심의관실의 질의 회신 2008.10.6>

> 일시사용을 위한 임대차임이 명백한지를 판단하기 위해서는
> 단순히 약정된 임대차 기간만을 기준으로 할 것이 아니라
> 그 밖의 계약 내용, 계약의 동기, 상가건물의 이용 형태,
> 보증금의 존재 여부 등을 종합적으로 고려하여야 할 것입니다.

　　　　　<법률구조공단 질의 회신 2008.10.8>

> 1) 보증금 없이 계약을 한 점
> 2) 1개월 후 반환한다고 명시한 점은 일시사용을 위한
> 임대차라는 점을 긍정할 수 있는 요소로 보이나,
> 반면,
> 1) 업종자체가 재고가 소진되지 않을 경우 임대차를
> 계속 유지할 필요가 있다는 점
> 2) 상품판매점의 경우 본질상 장소를 자주 옮기는 업종이
> 아니라는 점에서 일시사용을 위한 임대차라는 점을
> 부정할 요소가 있어 보입니다.

결국, 위 각 요소를 참작해 법원에서 판단할 문제이긴 하지만, 일시사용을 위한 임대차임이 명백한 경우라고 보기는 어려운 점이 있어 보인다는 것이 답변자의 의견입니다.

<실무상 유의점>

위의 질의 회신 내용을 보면, 일시사용을 위한 임대차임이 명백한지 여부는 아주 제한적으로 해석해야 한다는 것입니다. 예를 들어 여관에 손님이 숙박하는 경우, 또는 수험생이 입학시험을 치르기 위해 학교 근처에 미리 와서 시험일까지만 체류하는 경우처럼 일시사용이 명백한 경우가 아니라면, 임대인은 임차인의 연장 요구를 일단 예상해야 합니다. 임차인이 1년을, 그리고 나아가서 10년을 주장하게 되면, 그 주장의 타당성 여부는 결국 법원의 판단에 따를 수밖에 없습니다.

'한 우물만 파라' 물론 맞는 말이다.
그러나 굳이 삽을 들지 않았다면
다른 우물 찾는 것도 괜찮다

꾸니왕

20.책임

우리는 숱한 실수를 할수 있다.
그러나 다른 사람에게 책임을 돌리기 전에는
실패자가 아니다.

-존 버로즈-

온통 뿌옇다.
차에서 바라본 도심
미세먼지
안개까지 더해져
강 건너편
건물은 흐릿한 윤곽만
겨우 드러나 있다.
그래
이런 날씨도
이런 날도
기분 좋게 받아들이자.

출근해서 잠시 빈둥거렸다고 생각했는데 벌써 시간이......
언제 사라졌는지 사무실 시트지 사이로 조금씩 들어오는 햇살살
짝 보이는 하늘빛 좋다.
"여보세요."
"네, 어르신 말씀하세요."
우리 집 건너편 사시는 분이다.
3년 전에 동네에 들어오셨다.
정년퇴직하시고 부부가 함께 사신다.
가끔 김치도 갖다 주시고 마을에 별 어려움 없이 잘 지내시는 분이
다.
"내 지금 김 소장 사무실 근처라 사무실에 계신가?"
"네, 차 한잔하시고 가세요."
사무실 문을 빼꼼히 열어 보시고 날 보더니 들어오신다.
얼굴빛이 안 좋다.
문제가 있겠다는 예감이 들었다.
이야기를 들어보니 3년전 토지를 다운계약서를 써서 샀다.

1억이나 가까이 참 안타깝다.

이제 와서 어찌한다는 말인가!

아들 내외가 사업을 하다 안 좋아져서 팔아서 보탬을 주고 싶다 하여 거래를 의뢰하는 것이다.

토지는 내 관점에서 봤을 때 투자가치며 괜찮다.

문제는 그 토지가 사업용 토지로 요건을 충족시키지 못하여 비사업용 토지로 분류될 것 같다.

양도세가 문제다.

엎친 데 덮친 격이다.

이미 다운계약서다.

말 그대로 배보다 배꼽이 더 큰 격이다.

"지금 매도하는 것보다, 일단 요건을 갖추고 매매하자고"요건을 설명했다.

한참을 듣고 계시더니

"김 소장 내가 어디서 들었는데 양도세를 매수인이 내게 하는 조건으로 매매하면 된다는데?"

어디서 들었는지 모르지만 틀린 말은 아니다.

"어르신 요즘 그렇게 안합니다.그것도 금액이 작을 때야 어찌어찌 특약에 작성해서 해보지만"

한참을 다시 설명하고 사업용 토지요건을 맞춰서 매매하자고 했다.

매수인의 양도세 부담 특약의 효력

Q.매도인의 제안으로 '매도인의 양도소득세를 매수인이 부담한다' 라는 특약으로 매매계약서를 작성한 경우 어떤 불이익이 있나요?

A.매수인이 양도세를 부담하기로 하는 특약은 반사회질서, 불공정한 행위.

강행규정에 반하는 등 특단의 사정이 없는 한 유효하다고 해석합니다.
그러나 양도세의 금액이 큰 경우에는

매수인

> 대신 납부한 양도세 해당 금액에대한
> ①추징-취득세
> ②가산세-불성실신고.납부
> ③과태료-취득세의 3배 이하에 해당하는 금액

매도인

> 매수인이 부담한 양도세 해당액에 대하여
> ①추징-양도세
> ②가산세-양도세 불성실 신고납부

가능하면 정상적으로 처리함이 상당할 것입니다.

21.산에 집을 짓는데?

무식한 것을 두려워하지 마라.
허위의 지식을 가지고 있음을
두려워하라.

-괴테 -

꽃샘추위라고 들었는데 포근하다.

내가 잘못 들었나?

'점심을 먹고 움직여볼까?'

아니다.

'저녁에 상담해 보고 내일 움직여도 된다'

이렇게 합리화하고 꾸벅꾸벅한다.

누군가가 좀 나타나서 구름 위를 좀 걸으려면 사무실 문이 열린다.

파란 색깔의 사람들이

"소장님 잘 부탁드립니다." 그러고는 나간다.

한참 탱크가 내려오나 하면 빨간 색깔의 사람들이

"잘 부탁드립니다."

"네네. 잘 부탁하세요."

혼자 열 받았다.

열 받은 내 모습 보니 내가 생각해도 어이가 없어 헛웃음만 나온다.

'띠띠리리~~띠리링'

전화기에는 '엄니'라고 찍혀있다.

"여보세요. 아들"

"여기는 아들이요. 엄니 말씀하시오."

"아들아 아들 그 므고 불 피우고 앉아서 고기 굽어 먹을 때 앉는 의자 있제?"

한참을 생각한다.

"아~~캠핑의자!"

"그래, 그 캐피의자"

우리 엄니는 영어는 받침이 없다.

"의자는 왜? 엄니 캠핑 가게?"

"캐피는 무슨 캐피 그 의자 4개하고 식탁 같은 것도 있드만 그거 좀 이번 주에 가지고 온나!"

끊어버린다.

역시 우리 엄니다.

기승전결에서 결만 있다.

나는 딸에게 전화한다.

이번에 졸업하고 운 좋게 나름 괜찮은 회사에 취직했다.

나는 운이라고 하는데 딸은 실력이라 한다.

할머니랑 지낸다.

"공주마마~바쁘나?"

"말씀하시오. 아빠 마마~"

"할머니 캠핑의자랑 테이블 뭔데?"

'하하하'웃기 시작한다.

"그거 할매가 고스톱 치고 싶어서 거기 앉아서 고스톱 치려고"

우리 엄니의 취미는 딸하고 손녀랑 고스톱 치는 거다.

우리 딸이 중학생이 되는 해부터 가르쳐 주기 시작했다.

옆 동에 사는 둘째 누나 내외를 불러 우리 딸이랑 주말에는 여지없이 고스톱을 쳐야 하는 거다.

우리 딸은 학교 다닐 때도 용돈 달라고 하지 않았다.

용돈보다 수입이 더 좋다고 한다.

그런 우리 엄니가 1월에 인공관절 수술을 했다.

수술을 끝나자마자 의사 선생님 붙잡고 고스톱 못 치냐고부터 물어서 우리 딸이 간호하면서 부끄러웠다는 소리를 들었다.

그러니 당연히 양반다리 앉아 고스톱은 불가능한 거고 퇴원하고 몇 번은 식탁에서 쳐봤는데 맛이 안 난다 했다.

한 달을 고민 끝에 내린 결론이다는 거다.

우리 엄니는 고스톱을 포기할 수 없나 보다.

배가 고프다.

뭐 먹지 고민하는데

♪띠르르리리 따르르르릉♪

'받어 말어'

허풍이 많고 자기애가 무척이나 강한 xx 부동산 강 소장이다.

알고 지낸 지는 10년이 다 되었다.

항상 일을 주먹구구식이다.

그래서 업무적인 일은 피한다.

말 그대로 공동중개는 잘하지 않는다.

사람은 좋다,

내보다 1살 많다는 이유로 항상 밥을 산다.

그래서 좋다.

가끔은 자기애는 배울만할 때도 있다.

"여보세요."

"여~~~~보~~시~~오~~"

자만과 오만이 가득 찬 말투다.

"김 소장!오늘 점심 약속 잡지 마래이 내가 쥑이는 촌닭집 백숙 예약했다."

"네......."

끊어버린다.

빵빵~~~

크락션 소리가 요란하게 귀를 때린다.

그래도 센스는 있다.

조수석에'엉뜨'도 해놓았다.

"어디로 가는데요?"

"따라만 오보슈."

아주 신이 난 것 같다.

그렇게 15분쯤 가다 보니 대충 어디 가는지는 알 듯하다.

경남 양산 ㅇㅇ사 부근이다.

낚시도 가끔 하고 그런 곳이다.

"촌닭 예약했는데 30분쯤은 더 있어야 한다니깐 어디쯤 갔다가 갑시데이."

그렇게 좀 더 달리더니 길모퉁이에 주차를 한다.

"김 소장 저기 길 건너 붙은 산보이제?"

반말했다가 높임말을 했다가

맞은편을 향해 손가락으로 가리킨다.

"저 산 내가 저번 달에 싸게 나와서 내가 싸뿌다."

"아네~~"

결국, 자랑이군.

자기 돈으로 자기가 산 걸 뭐~~~

"이제 저 산 좀 잘 다듬어가 우리 처남댁이랑 멋지게 전원주택 2채 짓고 살라고"

"예?"

누가 봐도 악산이다.

건너서 봐도 경사도도 장난 아닌 것 같다.

"소장님 저 산 경사도가 장난 아니겠는데요?"

"그렇제 돈 좀 많이 들어가겠제?"

"근데 경사도가 심한데요. 몇%개발 안 되겠는데요?"

"뭔소리고 경사도가 무슨 상관이래?"

"예?~~~~~~~~~"

이건 뭔소리인가?

여기서 업무 스타일이 나오는군.

(자격증은 어찌 합격했는지)

'중이 제 머리를 못 깎는다'만, 그래도 요즘 기계가 좋아서 제 머리 깎는다만

아무리 업무를 주먹구구식이라 해도 임야를 거래하면서 그것도 자기가 매수하면서 경사도 파악을 안 한다 말인가?

앱 한 번만 들어가도 상세히 볼 수 있다.

"몇 평이나 개발하려고요?"

"한 500평 정도 면적은 왜?"

(산 넘어 산이구나)

"일단 닭부터 먹죠"

임야를 매입하여 산지 전용허가를 받으려면 임야 경사도를
확인해야 합니다.

평균 경사도 25도 이상인 경우 산지 전용허가 기준에 맞지 않아
산지 전용이 불가능 할 수 있습니다.

(지자체마다 기준이 달라 15도 이상인 곳도 있습니다.)

　(고도 기준을 두는 지자체도 있습니다.)

임야 경사도와 고도

1.임업정보 다드림

2.국토환경성평가지도

확인할수 있습니다.

개인적으로

임업정보다드림보다는 국토환경성평가지도에서 확인하시는게
더 상세히 학인할수 있다고 생각합니다.

국토환경성평가지도

환경부에서 무료로 제공하는 국토환경성평가지도를
이용하면 임야경사도를 확인 할 수 있습니다.

임야, 농지, 대지등 토지 경사도 확인이 가능합니다.

660(약300평)제곱미터 미만 임야 경사도 산지전용허가를
받으려는 경우 임야 경사도 조사서를 제출해야 하는
조항에도 불구하고 예외 조항이 있습니다.

환경부에서 무료로 제공하는 국토환경성평가지도를 이용하면 임야경사도를 확인 할 수 있습니다.

임야, 농지, 대지등 토지 경사도 확인이 가능합니다.
660(약300평)제곱미터 미만 임야 경사도 산지전용허가를 받으려는 경우 임야 경사도 조사서를 제출해야 하는 조항에도 불구하고 예외 조항이 있습니다.

산지전용을 하려는 면적이 660제곱미터 미만인 경우에는 평균경사도조사서를 제출하지 않아도 됩니다.
단, 동일인이 다수의 산지전용허가를 신청한 경우에는 목적사업의 동일성이 인정되면 합산면적을 기준으로 하므로 주의해야합니다
일반적으로 임야에 단독주택을 신축목적으로 산지전용허가를 하는 경우 660제곱미터 미만으로 산지전용허가를 받습니다.

온라인에서 확인하는 경사도는 참고용으로만 활용할수있습니다.
산지전용허가 시 필요한 평균경사도 조사서는 자격조건을 갖춘 자가 조사해야 합니다.

22.입춘대길(TEAM)

팀으로서 성공한다는 것은 모든 팀원
들이 자신의 전문 지식에 대하여
책임을 지게 하는 것이다.

- 미첼 캐플란 -

어젯밤부터 내린 비가 아침에도 여전히 내리붙는다.
어제는 입춘이다고 하여 봄이라는 놈이 나왔나 하여 산책로에서
뒷산까지 트랙킹을 갔다.
봄이라는 놈은 집에서 아직 나오지 않은 것 같다.
대한 때나 입춘 때나 별다름을 못 느꼈다.
내 감정이 얼어서 그런가?

마당에 주차된 차가 깨끗하다.
(퐁퐁을 풀어 놓을 거 그랬나?)
비가 오고,
바람도 불고
쌀쌀한 날씨에 움츠리고 있다.
그래도 차가 깨끗해졌네.
애써 기분을 업 시킨다.
♪빗 속에 여인♬
그 여인을 잊지 못하네♪♪
가자~~
'나는 모든 면이 날마다 나아지고 있다' 시동을 켜며 주문을 외우
듯 구시렁거린다.

오늘도 믹스커피를 휘이익 저으면서,
비 오니깐 화분들을 좀 내다 놓을까?
(춥네, 그냥 놔두자. 오늘따라 화분이 무거워 보였다.)
애써 합리화시킨다.
"김 소장 왜 이리 늦게 출근하노?"
옆 상가 사장님이다.
9시에 출근하면 빠른 거 아닌가?
부동산 사무실을 몇 시에 와야 한다는 말인가?

"아, 네, 비가 와서 좀 늦었어요!"
말은 이렇게 했다.
"이거 붙이소."
안주머니에서 아주 귀한 땅문서 꺼내듯이 종이를 꺼내서 내민다.
노란 종이에 주황색으로 용이 승천하는 그림이 그려져있다,
누가 봐도 아는 한자,
立春大吉(입춘대길)
또 한 장에는
建陽多慶(건양다경)
이 적힌 부적 같은 종이를 준다.
주니깐 감사하다.
어찌하겠나 애써 보는 앞에서 중문에 붙인다.
사실 별로 이런 거 좋아하지 않는다.
뜻은 참 좋지만, (예로부터 입춘이 돼야 새해라고)
'입춘이 드니 크게 기쁜 일이 생기고 새해가 시작되니 좋은 일이
많기를 바란다'
문짝에 붙인 글귀를 보더니
"좋다! 수고혀"나가신다.
음~~아무튼 고마우신 분이다.
분주해졌다.
시간을 너무 흘려보냈다.
오전에 길 건너 있는 상가 임대차계약서 쓰기로 했다.
2달 정도 공실로 있던 상가다.
주인아주머니가 큰맘 먹고 월세를 깎아줘서 성사됐다.
(보증금 3000만 원에 월세 100만 원인 상가를 월세 20을 깎아
서 80만 원으로)
얼마 전 XX 부동산 공인중개사 소장님이시다고 광고 현수막을
보고 연락을 해 왔다.

새로 개업하신듯하다.

30대 초반의 여성 소장님이시다.

이것저것 설명하고, 손님 모셔와서 안내하고, 그렇게 며칠이 지나서 오늘 계약하기로 했다.

"안녕하세요." 맑고 경쾌한 목소리다.

누가 들어도 약간의 들떠 있는 목소리다.

부동산 소장님과 손님이 같이 오셨다.

뒤이어 상가 주인아주머니도 오셨다.

무난하게 상가 설명하고 계약서 설명하면서 차분하게 써 내려갔다.

그런데 임대인이 문뜩 생각이 났는지

"소장님 특약사항에 이 말 좀 넣어주소 상가를 내가 팔 수도 있으니깐 넣어주소!"

"무슨 말을요?"

"내가 월세도 깎아줬는데 상가 팔리면 상가도 빼주고 기간 연기하지 말기!"

뭔 개똥 같은 소리인가?

한마디로 '상가 팔리면 계약갱신 하지 마라' 이 말이다.

계약서에 주로 이렇게 쓴다.

'임차인 점포가 매매되면 점포를 명도한다' 이 말이다.

즉 계약갱신권을 주장 못 하게 한다는 거다.

몇 달 전 그런 특약이 적힌 계약서를 미용실에서 본 적이있다.

그런데 임차인과 함께 오신 소장님이 한술 더 뜬다.

임차인에게 "그렇게 하시죠." 그러는 거다.

임차인도 "네, 소장님 믿고 할게요." 이러는 거다.

상세히 설명한다.

그거는 차후 권리금 회수에도 문제가 생기고 실제로 그렇게 기재해도 효력이 없다는 판결도 있다고 설명을 했다.

그러나 막무가내로 "왜 임차인도 그렇게 하자는데 그냥 써 달란
다" 눈은 나를 잡아먹을 눈으로 째려본다.

왜 자기편을 안 드냐는 것이다.

수수료고 자기가 주는데 이런 것 같은 표정 순간 쫄았다.

(겁이 많다.)

참 이럴 때 이 말을 쓰는가 보다.

'어이가 없네!'

아무리 설명해도 나 혼자 지치는 것 같다.

결국은 썼다.

특약사항에

'임차인은 점포가 매매되면 점포를 명도한다.'

그리고 괄호를 열어 같이 쓴다.

(본인 공인중개사는 이 특약사항이 효력을 발생하지 않을 수도
있고 차후 문제점에 대해서 충분히 설명하였다,.

임대인과 임차인이 합의하여 작성한다.

차후 이 특약사항에 의한 법정 분쟁이며 어떠한 문제도

본 공인중개사들에게 책임을 묻지 않는다.)

내 살자고 한 것도 있겠지만 같이 오신 소장님도 피해를 줄이고,
다음에는 실수하시지 마시라고, 계약 끝나고 소장님과 커피 한잔
하며 이것저것 이야기했다.

34회 그러니깐 작년에 자격증을 따셨다고 한다.

지금 아는 소장님이랑 합동으로 한다고 한다.

내용>

특약사항에 '임차인은 상가가 매매되면 상가를 명도한다'
기재하면 효력이 있는가?
계약갱신권은 행사 못 하는가?

결론>

　대상부동산이 상가가 「상가임대차법」
적용대상(사업자등록대상이 되는 건물 임대차)되면
동법 제10조, 제2조제3항에 의해 계약갱신요구권을
행사할 수 없는 사유 동법 제10조제1항제1호부터 8호의
규정에만 해당하지 않는다면 임차인은 갱신요구권을
행사할 수 있습니다.
따라서 '임차인은 점포가 매매되면 명도한다'는
특약을 한 경우는
「상가임대차법」의 편면적 강행규정에 위반되어
무효로 해석됩니다.

23.닭집

> 우리는 세상을 바꾸는 데 마법이 필요하지 않습니다.
> 우리는 이미 필요한 모든 힘을
> 우리 자신 안에 가지고 있습니다.
> 우리는 더 잘 상상할 수 있는 힘이 있습니다.

- 해리포터 시리즈의 작가 JK 롤링 -

"miss kim~ 나 도봉 마운틴 go go"
"오케이 오케이"
갔다 오면 되지 꼬옥 말을 하고 가노
못 알아듣는데~~
미스김은 구시렁거리면 타자기를 뿌수듯이 친다.
미더(엘원 M. 미더)는 매일 산에 간다.
오늘도 도봉 마운틴을 오르는데 못 보던 식물이 있다.
"왓~~~"
미더는 조심히 채취한다.
"미스김. 왓 이즈 잇?"
미더는 채취한 종자를 보여준다.
"아이 돈 노우우우~~"
미스김은 또 화를 낸다.
'왜 자꾸 내한테 말 거는 거야'라면서 또 타자기를 때려 부수듯
이 친다.
미더는 그 종자가 '틸개회나무' 종자라는 걸 알게 됐다.
"오 마이 갓"
그날 이후 미더는 종자를 들고 미스김에게 인사를 한다.
"미스김 굿바이 나 고고 홈"
미스김은 대답했다.
"유 고고 홈 잘 가 굿~바이"
미더는 미국으로 건너가 몇 년을 그 종자를 개량했다.
드디어 향기도 좋고 이쁜 꽃을 피우는 나무를 개량 성공했다.
미더는 당장 이 꽃나무를 들고 한국으로 간다.
미스김은 한국으로 돌아온 미더를 보고 놀란다.
"오마이갓 또 왜 왔소?"
"내가 음~~미스킴 띵크 하면서 만들었떠"
집 정원 전체를 향기롭게 만드는 놈이 폈다.

자연스럽게 코를 가까이 한다.

나는 부른다.

이문세의 ´가로수 그늘 아래 서면´

♪♬라일락 꽃향기 맡으면♬

♪잊을 수 없는 기억에♬

미국 군정청 소속 식물채집가 엘윈 M.미더가 도봉산에 있는 '털개회나무' 종자를 채집해서 미국으로 건너가 개량했다.

자신의 일을 도운 타이피스트 미스김을 생각해서 '미스김라일락'이라 지었다.

우리 한글이름은 흔히 '수수꽃다리'라 부른다고 한다.

나는 미스터김라일락이라 부른다.

우리집은 미스김 없다.

미스김라일락의 꽃말은 "진실한 사랑", "젊은 날의 추억"이다.

아침부터 라일락 꽃향기에 취해 횡설수설 한다.

오늘 할일을 그려본다.

한 주를 시작하는 월요일.

'항상 월요일은 뭔가를 해야만 하고 해야 한다'는

압박감이 나를 짓누르는 것 같다.

일찍 일어나야 하고, (월요일부터 늦잠 자면)

운동도 해야 하고,

책도 읽어야 하고,

사무실 대청소도 해야 하고,

지키지도 못할 한주 스케줄을 다이어리에 빡빡하게 적어나간다.

마대 걸레로 바닥을 닦고,

책상 정리도 하고,

열심히 청소했다.

휴~~~

잠시 멍때린것 같다.

아무것도 아무 생각도 하지 않은 것 같다.

전화벨 소리에 정신을 차렸다.

"여보세요."

"김 소장 혹시 공장임대 있는가?"

"글쎄요, 무슨 공장 하신다는데요?"

"그냥 평수랑 임대료가 싸면 된다는데?"

가끔 공동중개 의뢰하는 XX 부동산 최소장님이다.

한 번도 중개는 이루어진 적은 없다.

무슨 이런 경우가 있다 말인가?

공장 임대하는데 이런식으로 의뢰를 하는지….

싸기만 하면 된다.

아이러니다.

"있기는 한데 좀 허름합니다."

사실 창고나 다름없는 곳이다.

무슨 볼트 만드는 작은 공장이었다.

코로나로 인해 폐업했단다.

근데 볼트공장이 코로나의 영향이 있었는지는 모르겠다.

1시간쯤 지났을까?

xx 부동산 최소장님과 이십 대 후반으로 보이는 여자 손님 2명이 들어왔다.

"어서 오세요"

"김 소장! 커피 좀 주시오, 저랑 형, 동생처럼 지내는 소장입니다. 어려 보여도 낼모레 50입니다."

혼자 신났다.

쓸데없는 소리 한다.

언제부터 형, 동생처럼 지냈는지….

하여튼 저 오지랖과 허풍은 못 말린다.

"근데 무슨 공장을 누가 운영하시려고?"

"저희 둘이서요!"

"무슨 공장?"

두 번 물어보게 한다.

"그게 공장 임대해서 닭집을 하려고요."

"아하!"

이제 이해가 갔다.

처음부터 이렇게 말했으면 될 일을.....

좀 지났지 않은가?

그런 컨셉의 닭집 몇 년 전만 해도 가끔 보이기는 했지만,

"저기 소장님 혹시 공장임대를 해서 닭집을 운영하면 차후 상가건물 임대차보호법 적용을 받을 수 있나요?

최소장님은 잘 모르겠다는데."

살짝 당황했다.

기억을 되살린다….

어찌 잘 모른다고 말할 수 있지.

보통 알아보겠다고 하지 않나?

"음음"

당황하면 나오는 말이다.

"제가 알고 있는 법으로는 받을 수 있습니다."

사례)

> 150평의 공장을 보증금 5000만 원에 월 150만 원
> 계약 체결 후 공장을 약간의 리모델링을 한 후
> 닭집을 운영할 계획이다.
> 그러면 공장임대계약은 차후 상가건물 임대차보호법을
> 적용받을 수 있는가?

판례)

상가건물 임대차보호법의 목적과 같은 법

제2조 제1항 본문, 제3조 제1항에 비추어 보면,
상가건물 임대차보호법이 적용되는 상가건물 임대차는
사업자등록 대상이 되는 건물로서 임대차 목적물인 건물을
영리를 목적으로 하는 영업용으로 사용하는
임대차를 가리킨다.
그리고 상가건물 임대차보호법이 적용되는 상가건물에
해당하는지는 공부상 표시가 아닌 건물의 현황·용도 등에
비추어 영업용으로 사용하느냐에 따라 실질적으로
판단하여야 하고,
단순히 상품의 보관·제조·가공 등 사실행위만이
이루어지는 공장·창고 등은 영업용으로
사용하는 경우라고 할 수 없으나,
그곳에서 그러한 사실행위와 더불어 영리를 목적으로 하는
활동이 함께 이루어진다면
상가건물 임대차보호법 적용대상인 상가건물에 해당한다.
(대법원2011.7.28. 선고2009다40967판결)

참고로 공장용지등 지목은 용도변경후 가능합니다.

24.해약금과 위약금

언어는 오해의 근원이다.

-생떽쥐페리-

눈을 떴다.
너무나도 생생한 꿈이었다.
당장 꿈 해몽을 뒤져본다.
뱀 꿈 상당히 많은 작은 뱀 꿈.
재물은 또는 태몽(여자아이라 한다….)
태몽은 그다지 나랑은 관련이 없으니
재운이로구나!
드디어 올 게 왔구나.
로또 사야지. 아싸!
혼자 신이 났다.
콧노래가 절로 나왔다.
누가 보면 로또 당첨됐는 줄
참 나란 놈은 단순하다.

산책을 하러 가려다 코끝에 진한 향기가 쑤욱 들어온다.

"덥다 덥다 왜 이리 더운 겨~~~"
선비는 양반이라 덥다고 옷도 못 벗고
뒷짐 지고 덥다고 한탄하며 걸어간다.
저기 그늘이 보인다.
선비는 저기서 좀 쉬어가야겠다.
선비는 나무 아래 그늘에서 뒷짐 진 손이 갓끈으로 가는데
"아이고 배울 만큼 배운 양반이 왜 남의 집 열매를 따묵으라 그
라요~~"
"그게…. 아니고 .. 나는 갓을"
"동네 사람들 여기 좀 나와보세요~이 양반이라는 사람이 우리
집 열매를 따 먹으려다 나한테 딱 걸렸어 유~~"
여기저기 이 씨들이 다 나와서 웅성웅성거렸다.

오얏 이 씨 마을인 것 같다.

(李 한자가 오얏 李 로 안다.)

"야~이 양반아 내가 도둑으로 보이는겨~~나를 뭘로 보는겨"

아무리 큰소리를 쳐도 동네 사람들은 말을 듣지 않았다.

그 뒤로 선비들에게는 그 나무 아래서는 갓끈 고쳐 매지 마라며 소문이 났다.

그 나무가 바로 자두나무다.

자두나무가 오얏나무다.

"오얏나무 밑에서는 갓끈도 고쳐 매지 마라"라는 속담이 있다.

손이 뒷짐 지고 있다가 갓끈을 고쳐 매려다 손이 올라가는 걸 보면 맛 좋은 자두를 따 먹는 줄 알고 오해한다.

"오해할 행동을 하지 마라"라는 말이다.

나를 이끈다.

자두나무 꽃향기다.

좋다.

나는 자두를 좋아한다.

그래서 이사 오자마자 자두나무를 심었다.

사서 가벼올 때 3살 됐으니 9살 된 놈이다.

자두나무 꽃 향기를 가슴에 안고 출근한다.

따뜻한 믹스커피를 휘휘이이 저으며 책상 위에 놓인 노트북을 여는 찰나 '땡그라라랑' 사무실 문이 출랑스럽게 울리면서 열린다.

"어서 오세요"

최근 들어 가장 밝고 친절한 목소리다.

음~~어디서 많이 보 얼굴인데

(두꺼비상이다.)

어디서봤지!어디서봤지!

"여기 앉으세요"
쇼파를 좋아할 몸이다.
아니 쇼파에 앉힐 몸이다.
'아하' 기억이 난다.
저 얼굴~개그우먼 누구랑 상당히 닮았다.
혼자 피식 웃었다.
"뭐 좋은 일 있으세요."
웃는 걸 봤나?
갑자기 미안해진다.
"아~~~좋은 꿈을 꾸었어요~무엇을 도와드릴까요~"
"뭐 좀 물어봐도 될까요?"
예감이 안 좋다.
"제가 한 달 전에 빌라를 계약했는데요 어찌어찌하다가 잔금을
지급 못할 것 같아서 계약금을 돌려받을라고 하는데..."
"계약금은 일종의 손해배상액이라 안 돌려줄건데요"
"저도 알고 있는데 다 돌려받자고 하는게 아니고...."

사례)
한 달 전쯤 경남 ㅇㅇ시에 있는 빌라를 1억8천에 매매계약을 한
것이다.
시세에 비해 그렇게 저렴한 가격도 아니다.
00부동산에 급매라고 해서 선뜻 계약했다.
요즈음도 그런 공인중개사가 있단 말인가!
요즈음도 그런 공인중개사의 말을 듣고 계약하는 사람이 있단 말
인가!
아무튼, 여기까지는 그럴 수 있는 문제다.
계약을 하고 나서 이리저리 알아보니, 싼 가격도 아니고, 만족할
부분이 하나도 없는 것이다.

그래도 어찌하겠나,

계약했으니 잔금치고 봐야지 하는데, 문제는 잔금을 치려고 하는 대출이 안 나오는 것이다.

대출이 왜 안 나오는지 중요치 않다.

그리고 다른 방안을 찾으려면 찾을 수도 있을 것이다.

이렇게 되어서 계약금계약이 해약되게 생겼다.

(그냥 집이 마음에 들지 않았는지 모른다.)

그런데

> 계약금을 10% 1800만 원을 지급한 것이 아니고,
> 30% 가까이 5000만 원을 지급한 것이다.
> 그래서 계약을 해지하면 얼마 받을 수 있나?

1) 계약금계약으로 해약할 경우 당사자가
계약금의 포기 또는 배액의 지급을 약정한 경우
이를 그대로 인정할 수 있는가의 문제입니다.

2) 계약금은 다른 약정이 없는 한 해약금으로 추정합니다.
다만, 당사자 일방이 위약한 경우 그 계약금을 위약금으로
하는 특약이 있을 때 한하여 손해배상액의 예정으로서의
성질도 함께 갖는 것으로 해석하고 있습니다.
우리 민법은 위약금의 약정은 손해배상액의
예정으로 추정한다(민법 제398조 제4항)고 규정하고,
손해배상액예정액이 부당히 과다한 경우에는 법원은
적당히 감액할 수 있습니다. (동조 제2항)법원은 통상
거래금액의 10% 정도는 손해로 인정하고 있습니다.

3) 참조판례:대법원 1996.10.25. 선고 95다33726 판결.
  대법원 1996.2.9.선과 95다27998 판결.

25.토지거래허가구역

인간의 위대함은 지식이 아니라,
도덕에 있다

- 윈스턴 처칠 -

새벽 5시.

알람이 요란하게 울린다.

춥다.

이불속으로 좀 더 깊숙이 들어간다.

일어나야 되는데!

'일어나서 물 한 잔 마시고,

스트레칭하고,

산책 갔다 오세요.'

(천사가 속삭인다..)

'아니야 춥다. 오늘은 좀 더 자라'

(악마의 웃음소리가 날 유혹한다.)

"일어나자"

(천사의 승리)

샤워하고 난 후 거울에 비친 내 모습을 보며

'멋진데' 속으로 외치는 찰나 창문 너머에서

'멍멍멍'

'미안하다' 그냥 웃는다.

룰루랄라♫♫♫~~~

'나는 날마다 모든 면이 나아지고 있다'

어느 책에서 봤는지는 모르지만 난 매일 아침 10번을 중얼거리면서 출근한다.

점심 먹고 나면 항상 졸린다.

얼마나 졸았을까?

입가를 쓰윽 닦으며 "으으아아" 기지개를 켜다 보니 뭔가가 피로가 풀리는 것 같다.

(기지개를 켜다가 맞는 표현이다. 기지개를 펴다는 적절하지 않은 말이다.)

"안녕하세요"

땅그라라랑 사무실문이 열린다.

저 종소리 바꿔야겠다고 또 한 번 생각한다.

참 출랑거린다.

"잘 지냈습니까? 김 소장님"

"아, 네~ 어찌한 일로 여기까지"

별로 반갑지 않은 사람이다.

참 어찌 보면 얼굴이 두껍다고 생각한다.

그냥 박 사장이라 부르는 사람이다.

몇 년 전이다.

여윳돈이 조금 있는데 토지에 투자하겠다 하여 알게되었다.

이 땅, 저 땅 안 보여 준 땅이 없다.

그렇게 2달을 보여줬다.

안 다닌 지방이 없을 정도다.

지금 생각해도 참……

결국은 거래 성사를 못했다.

그렇게 연락이 좀 뜸해지기 시작했다.

그러고 소송중이다는 소리를 들었다.

속으로는 (으음 꼬시다)

사례)

매수인 박 사장은 토지거래허가구역 내에 있는 토지를 매매대금 1억5천으로 하는 내용의 매매계약을 체결하면서 토지거래허가신청은 중도금 지급기일 이전에 쌍방이 협력하여 신청하기로 하였다.

그런데 매도인은 토지거래허가신청 절차에 협력해 주지 않고, 이를 차일피일 지체하던 중 중도금의 지급기일이 경과한 후 몇 달이 지나서야 매수인 박 사장에게 중도금이행지체를 이유로 계약을 해제하고 계약금은 돌려주지 않겠다고 통지해왔다.

매수인 박 사장도 더는 위 토지를 취득하고 싶지 않으니 계약금을 돌려달라고 통지했다.

해설)

국토의 계획 및 이용에 관한 법률에 의하여 지정된 토지거래허가구역 안에서 토지거래계약을 체결하고자 하는 거래당사는 계약(예약포함)을 체결하기에 앞서 토지소재지 관할 시장·군수.또는 구청장의 허가를 받아야 하며, 허가를 받지 아니하고 체결한 토지거래계약은 그효력을 발생하지 아니한다고 규정하고 있다.(동법 제117조, 제118조)

즉 계약에 앞서 먼저 허가를 받은 후 계약을 체결(선허가, 후계약)하여야 한다는 것이다.

그런데 당사자 간에 먼저 계약을 체결하고 후에 허가 신청을 하는 경우 허가 신청에 앞서 체결한 계약의 유효성이 문제가 된다.

1. 허가권자의 허가를 받기 전에 체결한 매매계약의 효력

판례

☞국토이용관리법(현행 국토의 계획 및 이용에 관한 법률) 상 토지거래허가구역 내의 토지에 관하여 관할관청이 허가를 받기 전에 체결된 매매계약의 유효성에 관하여,

1) 처음부터 허가를 배제하거나 잠탈하는 내용의 계약일 경우에는, 확정적 무효로서 유효화될 여지가 없지만,

2) 이와는 달리 허가받을 것을 전제로 한 거래계약일 경우에는,

①일단 허가를 받을 때까지는 법률상 "미완성의 법률행위"로서 소유권 등 권리의 이전에 관한 계약의 효력이 전혀 발생하지 않음은 확정적 무효의 경우와 다를 바 없지만,

②일단 허가를 받으면 그 계약은 소급하여 유효한 계약이 되고,

③이와 달리 불허가된 경우에는 무효로 확정되므로,
④따라서 허가를 받기 전까지는 "유동적 무효상태"에
있다고 보아야 한다고 판시하였다.
(대법원1996.6.28.선고95다54501판결, 1998.12.22.선고98다
44376판결)

이를 요약정리하면 다음과 같다.

□토지거래허가구역 내의 토지에 관하여 관할관청이
  허가를 받기 전에 체결된 매매계약의 효력
 1) 처음부터 허가를 배제하거나 잠탈하는 내용의
 계약일 경우:확정적 무효
 2) 허가받을 것을 전제로 한 거래계약일 경우
 ①허가를 받기 전:유동적 무효
 단, 당사자 쌍방이 허가 신청 협력 의무의
 이행거절 의사를 명백히 표시한 경우에는
 그 계약관계는 확정적 무효
 ②허가를 받은 경우:확정적 무효
 ③불허가처분을 받은 경우:확정적 무효

□계약금의 처리
 1) 계약이 유동적 무효상태로 있는 한:
 부당이득으로서 그 반환을 구할 수 없으나,
 2) 확정적으로 무효가 되었을때:
 부당이득으로 그 반환을 구할 수 있다.

결론)

위 사안의 경우에는 허가받을 것을 전제로
매매계약을 체결한 사안이므로 확정적 무효가 아니다.
그래서 매수인은 매도인에게 허가 신청 절차에
협력할 것을 요구하였으나,
매도인은 이를 지체하고서 오히려 중도금의 미지급을
이유로 계약금의 몰수를 통지해왔고,
매수인도 계약금 반환을 통지한 사실이 있으므로
"쌍방이 허가 신청의무의 이행거절 의사를 명백히 표시"
하였다고 할 것이고, 이러면 허가 전 거래계약 관계
즉, 계약의 유동적 무효상태가 더 이상 지속한다고
볼 수는 없고, 그 계약관계는 확정적으로 무효라고
인정되는 상태에 이르렀다고 할 것이다.
따라서 위 매매계약 관계는 확정적으로 무효가
되었으므로, 매수인은 매도인을 상대로 부당이득으로서
위 계약금의 반환을 청구할 수 있다고 할 것이다.

26.억지

많은 경우 사람들은 실제로 보여
주기 전까지는 자신이 원하는 것
이 무엇인지 모른다.

- 스티브 잡스 -

'요놈 요놈' 올라올 때가 되면 어김없이 올라온다.
항상 백합과 같은 미용실을 갔다 온다.
머리색은 같은 붉은색으로 염색하고
백합은 '모히칸' 스타일
요놈은 '파마'를 했다.
미용실 원장님이 세트로 해서 아마 50프로 깎아줬을 거다.
(파마를 대충 한 표가 난다.)

"나의 사랑을 받아주시오"
"지는 산골 사는 촌년입니다. 어떻게 왕자님의 사랑을 받아 줄 수
있다는 말입니까?"
왕자는 열이 받아 다음날에는 허리에 칼을 차고 산골 소녀에게
찾아갔다.
"내 아를 낳아도"
"안 됩니다. 왕자님처럼 멋진 사람을 저는 받아줄 수가 없습니
다."
"내 사랑을 받아주지 않으면 여기서 내 심장에 칼 꽂아 죽으뿌기
요."
산골 소녀는 왕자가 쇼하는 줄 알고 "마음대로 하세요."
왕자는 '말리겠지' 생각하고 칼을 자신의 심장에 갖다 대는데 소녀
는 설마설마하면서 지켜만 봤다.
왕자는 그만 정말로 자신의 칼에 죽고 만다.
그다음 해부터 왕자 묘지 주변에는 심장에 하얀 칼이 찔려 피 흘
리는 모양의 꽃이 피기 시작했다.
바로 금낭화다.
그래서 금낭화의 영어 이름이
Bleeding heart(피 흘리는 심장)이다.
그 왕자가 진심으로 자기를 사랑한 거를 알고 그 소녀는 묘지 앞

에서 왕자를 따라갔다
꽃대가 밑으로 고개를 숙인 거처럼 휘어져 있다.
금낭화의 꽃말이 '당신을 따르겠습니다.' 이다.

시동을 켠 채 정원에 이제 막 싹이 올라온 금낭화를 보고
혼자 생각하고, 혼자 중얼거린다.
이런 말 하는 거 보니 나도 늙어나 보다.

출발~~~~~

조용하다.
무료하다.
이럴 땐 아파트 분양 판촉물을 들고 오시는 분이라도 오면 반갑
고 좋을텐데...
책도 읽고,
졸기도 하고,
'에이 놀려나 가자'
'근처 소장님들은 뭐하나'
가끔 들리는 사무실 문을 열고
"안녕하세요"
인사할 분위기가 아닌가?
"어! 김 소장 거기 좀 앉아 있으래! 커피는 알아서 타 먹고"
항상 생각하지만 어디 사투리인지 모르겠다.
한쪽 모퉁이 2인 테이블에 앉았다.
커피는 알아서 타 먹었다.
폰을 꼼지락거리면서 조용히 들었다.
50대쯤 보이는 아주머니다.
지적으로 보였다.

이야기를 들어보니, 아주 몰상식하다.

"XX"(sea bar)가 항상 어두다.

(바닷가에 있는 빠를 좋아하나 보다)

어찌 말을 저렇게 하지.

역시 사람은.....

"XX 아니 소장님이 계약서를 작성했으니 책임지고 내보내라고"

"그게, 마음대로 안 돼요"

"XX 뭐가 마음대로 안 돼요, 당장 짐 빼주세요. 아 이XX"

처음 본다.

공인중개사한테 짐 빼라 한다.

그냥 어이없다.

사례)

몇 달 전 임대차계약을 중개하였다.

"2개월 이상 연체하면 강제명도에 동의한다."라는 특약이 있다.

그 특약을 공인중개사가 쌍방동의하에 작성했으니

공인중개사가 알아서해라는말이다.

"2개월 이상 연체하면 강제명도에 동의한다"라는 특약이 있으면

소송절차 없이 임차인을 내보낼 수 있는가?

그런 조항이 있어도 역시 소송 절차를 거쳐야 할 것으로 봅니다.

임대인으로부터 자주 받는 질문이다.

'속 썩이는 임차인을 꼭 명도소송을 통해서만
내보낼수 있는가?'
'임차인 강제 명도에 이의를 제기하지 않겠다는
약조를 미리 받아 놓으면 되지 않겠는가'하는 것이다.

그러나 법원의 판결문 없이는 강제집행을 할 수 없다는 것이 판
례의 입장이다.

판례)

> 대법원2005.3.10 선고 2004도341판결
> 강제 집행은 국가가 독점하고 있는 사법권의 한
> 작용을 이루고
> 채권자는 국가에 대하여 강제집행권의 발동을
> 신청할 수 있는 지위에 있을 뿐이므로 법률이 정한
> 집행기관에 강제집행을 신청하지 않고,
> 채권자가 임의로 강제집행을 하기로 하는 계약은
> 사회질서에 반하는 것으로
> 민법 제103조에 의하여 무효라고 할 것이다.
> ☞그런데 강제집행에 동의한다는 내용으로
> 공증을 받으면 어떻게 될까요?
> 역시 판결을 받은 후 강제집행을 할 수 있습니다.
> 민법상 '화해'도 역시 계약의 일종으로 보기 때문이다.

"애쓰지 마라"
처음부터 할 수 있는 일이었다면
했을거다.

꾸니왕

27.내산에 있는 분묘

저녁 무렵 자연스럽게 가정을 생각하는 사람은
가정의 행복을 맛보고 인생의 햇볕은 쬐는 사람이다.
그는 그 빛으로 아름다운 꽃을 피운다.

- 베히슈타인 -

띠띠띠~~띠리리리
알람이 요란하게 울린다.
"좀 더 자라"악마의 속삭임.
씨끄럽다.
실눈을 뜬 채 이불을 머리끝까지 올린다.
그리고 생각에 잠긴다.
어젯밤 꿈에서 혹시 번호 같은 게 나왔는지~~
우 씨~
괜히 보지도 못한 조상님에게 짜증 낸다.

가자~~
출동하자~~
애들을 산책 시켜야 한다.
똥을 밖에서만 싸니깐 어쩔 수 없이 나와야 한다.
어떨 땐 애들이 나를 ′반려인′으로 생각 하는 것 같다.
"살 좀 빼라 이놈의 주인아"
그러면서 '뛰어'하면서 쏜살같이 뛰어 올라가기도 하고,
집에 가자고 하면 한참 숨어서 찾게 만든다.
매화가 꽃봉오리가 맺혔다.
넘 일찍 샴페인을 터트릴까 봐 살짝 걱정이다.
산길을 산책하다 보면 한쪽 모퉁이에 낮은 분묘들이 보인다.
관리 안 되는 분묘들이다.
예전에는 산에 묘가 많아야 좋은 산이라 했다.
(그때는 매장문화를 소중히 여길 때)
자세히 보지 않으면 묘인지도 모른다.
나무, 풀이 내 배꼽까지 자라있다.
나는 이상하게 습관인지 그런 분묘 주변을 돌며 누가 봐도 몇십
년이 지난 소주병과 오래된 조화가 있나를 본다.

소주병과 조화는 썩지 않는다.
혹시나 있으면 차후 주인이 무연분묘로 인정받기 까다롭다.
(무연분묘 -장기간 관리 안 되는 연고가 없는 묘)
그래서 가끔 치울 때도 있다.
잘하는 행동인지는 모르겠다.
오늘도 모퉁이 묘를 보는데 문뜩 불길한 느낌이 든다.
불안한 느낌도 든다.
짜증이 밀려온다.
설날 연휴가 내일부터 시작인 거다.
제사 지내고 산에 갈 생각하니 갑갑하고 불안하고 모르겠다.
"인제 그만 갑시다."
반려견 남아 애굴해본다.
(애원하고 굴하게)

가끔 임야를 거래하다 보면 매번 부딪히는 게 분묘이다.
아마 묘 없는 산은 없을듯하다.
비석에 누가 봐도 관리가 잘되는 묘 연고가 있는 묘(유연 분묘)
자세히 봐야 봉분이 보이고 나무와 풀이 허리만큼 자라있는 묘
(무연분묘)
이렇게 묘는 관리하고 있느냐?
안 하고 있느냐?이다.
아마도 잘 관리가 되는 묘는 분묘기지권이 설정되어있을 것이다.
쉽게 말해 관습법상 인정되는 지상권과 유사한 물권이다.
그러면 분묘기지권은 어찌 성립되는가?
1.분묘를 소유자의 승낙을 얻어 설치한 경우(승낙형 분묘기지권)
2.분묘를 소유자의 승낙 없이 설치한 경우(취득시효형 분묘기지권)
이 경우는 분묘의 소유자가 20년 동안 평온하고 공연하게 분묘를

점유하였을 때 관습법에 따라 분묘기지권을 취득한다.

3.자신의 토지 위에 분묘 설치 후 자기 소유의 토지를 처분하는 경우(양도형 분묘기지권)

이 경우는 분묘에 대한 소유권의 유보나 이전에 관한 합의 없이 토지를 처분하는 경우 분묘 소유자는 관습법에 따라 분묘기지권을 취득했다고 인정된다.

이렇게 분묘기지권은 시·군·구청 묘적부 확인.

묘비가 있으면 묘비 확인하고 마을 이장에게 막걸리 한 사발 대접 확인하면 된다.

분묘기지권을 시효취득 했더라도 토지사용료를 지급해야 한다.

다만 청구할 수 있는 지료의 범위는 토지소유자가

청구한 날부터 계산하도록 제한한다.(대법원2021.4.29선고2017다228007판결)

빨리 청구하는 게 낫다.

무한정으로 소급해서 청구할 수 없다는 것이다.

이런 경우는(유연분묘) 연고자와 잘 합의하여 이장하면 된다.

연고자가 있다 하더라도 합의만 하면 안 되고 토지소유자는 시장 등에게 허가를 받아야 한다.

3개월 전에 연고자에게 통보하여야 한다.

허가를 못 받거나 합의가 안 되거나 하면 행정청에서는 법원 소송을 권유하는 게 일방적이다.

이제는 자세히 봐야 묘인 것 같다는 무연분묘가 더 문제다.

처리절차는 유연분묘와 비슷하다.

그런데 문제는 무연분묘로 인정받기가 쉽지 않다.

썩은 조화나 술병이 주변에 혹시나 있어서 연고 있는 거로 판결난 사례도 있다.

무연분묘로 허가만 받으면 일정 기간 공고 후 적은 비용으로 처리할 수 있다.

28.전봇대

지척의 원수가 천 리의 벗보다 낫다.(속담)

이웃끼리 서로 친하게 지내다 보면 먼곳에 있는 일가보다 더 친하게 되어 서로 도우며 살게 된다는 것을 이르는 말.

아~~속이 불편하다.

어제는 헤어졌던 친구 ´이슬이´를 다시 만났다.

너무 반가워서 밤새 마주했다. (이슬이는 참이슬)

분명

12시가 다 되어서 헤어졌다.

눈을 뜨니 12시다.

이런 미라클 애프터눈이다.

국시가 너무 먹고 싶다.

"국시가 먹고 싶소"

차 키를 준다.

"마트 가서 계란 좀 사 오시오 국수해줄게"

나는 분명 국시가 먹고 싶다는데

국수를 해준다 한다.

국수와 국시의 차이점을 아는지 모르겠다.

'국수는 밀가루로 하는 거고'

'국시는 밀가리로 하는 거다.'

괜히 미안하다.

"감사합니다."

하고 시동을 켠다.

5분 거리 독점인 탑마트로 향한다.

온 가족이 다 같이 운영하는 동네에서는 백화점이다.

'이런 여기는 어디인가?나는 누구인가?'

마을 입구로 내려와 마트 가려는데 들어오는 차들이 이럴 수가

나는 차를 갓길에 정차한다.

잘 생각해야 된다.

아마 계란을 사려 가다가는

계란이 부하가 되어 병아리가 될 때쯤 집에 올 것이다.

국시를 포기해야 하나,

계란 빼고 해달라 해야 하나.
저녁에 돼서야 먹을 수 있더라도 마트에 가야 하나
그 순간
나는 입가에 미소를 짓는다.
차 비상 깜빡이를 켜고 다시 돌린다.
마을로 들어간다.
계란이 항상 있는
최 사장님 집으로 간다.
닭 키우는 집이다.
15마리가 넘게 있으니 계란이 적어도 10개는 넘게 있을 거다.
매일 한 개씩은 낳는다고 했으니
오늘은 유정란이 들어간 국시를 먹겠다.
"유후"
차를 몰고 올라간다.
집 입구부터 연기가 피어오른다.
저거슨 분명 삼겹살 굽기 위해 숯을 피우는 연기일 거다.
아니나 다를까?
삼겹살 구워 먹을 준비를 하고 있다.
"어 김 소장. 어서 와, 거기까지 냄새가 갔나,
앉아, 소주 한잔해"
"술 하고는 헤어지기로 도장 찍었어요."
"어제 많이 먹었나 보네"
"사장님 내 계란 몇 개만 주세요.싱싱한 거로"
"닭장에 가봐라. 싱싱한 거 있을 기다.
없으면 냉장고에 있는 거 가져가고"
나는 치킨 하우스로 간다.
'쿵'
머리에 별이 보인다.

매번 갈 때마다 박는다.

전봇대가 닭장 입구에 세워줘 있다.

왜 여기에 있는지?

혹이 크게 생겼을 거다.

"머리에 계란이 하나 생기겠네."

조그마한 병아리 한 마리와 눈이 마주쳤다.

호주머니에 넣어 오려다 참았다.

"사장님! 전봇대 좀 다른 곳으로 이동 좀 시켜달라 하세요. 아이고 머리야"

"하하하 나도 맨날 박는다."

한참을 웃는다.

"이번 주 내로 한번 알아보고 방도를 생각해서 옮기도록 합시다."

내 땅에

내 집 바로 옆에 있는 전봇대.

아직 시골 마을에는 전봇대가 많다.

전봇대에 붙은 새끼 전봇대가 꼬옥 있다.

전신주(KT) 쇠로 된 전봇대라 보면 된다.

집을 지으려고 하는데,

집을 다 지었는데,

전망에 딱 전봇대가 있어 보기도 안 좋고,

그렇다고 집을 다시 지을 수도 없고,

그런 경우가 있을 거다.

나 또한 그랬다.

집 뼈대만 놔두고 공사를 했다.

그런데 다 끝내고 테라스에 앉아있다 보면

항상 중간에 불쑥 튀어 올라 있는 전봇대가 걸렸다.

나는 한국전력공사(한전)에 문의하니,

사전검사해야 한다며 직원을 보낸다 하였다.

1주일쯤 지났을까?

"한전 직원입니다"라고 연락과 함께 방문 왔다.

내가 앉아서 먼 산 쳐다보고 술 먹어야 하는데 전봇대 때문에 전망이 안 나온다 해서 누가 옮겨주겠는가?

직원에게 시원한 아이스커피 한 잔 드리며 사유를 순진하게 이야기했다.

"하하하 그러면 못 옮깁니다."

한참을 이리저리 둘러보고, 옆에 땅 소유주도 파악해야 하고 일단 접수하겠다고 돌아갔다.

그러면서 하는 말이 혹시나 전화가 올 수 있으니 그때는 당당히 "거기로 대문을 낼 거요 그러니 옮겨주시오"이렇게 말하려는 거다.

참 고마운 분이다.

그러나 전화는 오지 않고, 일주일 뒤 크레인과 한국전력공사 직원과 붙어있는 새끼 전신주(KT) 직원이 와서 전봇대 이동 작업을 했다.

지금은 시원하게 앞을 가리는 게 없다.

술맛이 더 좋다.

내 땅에 전봇대가 있다.

그러면 주저하지 말고 접수하세요

사유가 적합하면 이동시켜줍니다.

비용은 모르겠으나, 저는 비용을 지불하지 않았습니다.

29.백합

꽃 향기는 바람의 방향으로 퍼집니다.
그러나 사람의 선함은 모든 방향으로 퍼집니다.

-차 나캬 -

"달코야 놀자"
산책을(애들 배변 활동) 갈려고 신발 끈을 묶고 있으니 대문 밖에서 감자(펜션 집 개)라는 녀석이 짖는다.
"누고? 엠버야 누구야?"
키가 작고 다리가 짧은 달코는 테라스 울타리 때문에 밖이 보이지 않아 엠버에게 물어본다.
키가 큰 엠버는 다리를 테라스에 걸친 채
"오빠야~ 감자오빠야."
"우리도 이제 산책 가니깐 뒷산 1차 고지에서 보자고 해라"
"감자 오빠야~뒷산에서 보재"
감자는 알아 들었는지 뒷산 쪽으로 꼬리를 흔들며 뛰어 올라간다,

"출동하자~"
애들 목줄을 한 채 나가려는데 화단에
몇 년째 이때쯤이면 올라오는 녀석이 있다.
백합이다.
항상 미용실에 들러 머리를 붉은색으로 염색하고
시대에 뒤떨어진 ′모히칸′ 머리 스타일을 하고 나타난다.
백합은 꽃이 펴야 안다.
이놈의 성질을 알수 있다.
흰색,
붉은색,
분홍색,
노랑이~
다 꽃말이 다르다.
올라올 때는 모른다.
우리 집 이놈은 노랑이다.

향이 강한 노란색 꽃이 6년 채 핀다.
처음 살 때는 분명 꽃집 사장님이 분홍색 꽃 핀다 했는데.노란색 꽃이 핀다.
꽃집 사장님도 꽃을 피우기 전까지 몰랐나 보다.
주인을 닮아서 노란색 꽃을 피우는지
다른 색 백합꽃의 꽃말은 대부분 사랑이다.
노란색 백합 꽃말만 '유쾌함'이다.
사진을 찍고 있으니 애들이 빨리 가자고 안달이다.
"알았다 이놈들아"
아침 산책은 뒷산으로 항상 가는데 오늘은 올라가는 감자를 보고 나는 밑에 산책로를 택했다.
두 놈 다 나를 의아하게 쳐다보며 뒷산 쪽으로 몸을 돌리려 한다.
나는 무시하고 끌고 내려간다.
달코는 아쉬운지 계속 고개를 돌린다.

모닝커피 한잔한다.
생각한다.
어제 일.
오늘 할 일.
어제 퇴근길에 옆에 소장님이 흘린 말이 기억난다.
"김 소장이 이 동네에서 제일 바쁜 것 같아. 맨날 땅 보려 다닌다.'외근 중'붙여놓고 없고 퇴근할 때 보면 젊은 사람 손님 있을 때도 있고 손님이 항상 있어"
나는 "아~~네" 하고 웃으며 대답만 했다.

1995년 여름.
잠깐의 일탈로 방황을 하던 나는 마음잡고 공부한다.

"아무 대학이라도 대학만 가라"아버지 말씀에 수많은 여자친구들의 유혹을 뿌리치고 펜을 잡는다.

'그래 하니깐 되네. 난 역시 잘난 놈이야.'딱히 어렵지 않았다.

따라가겠다.

외우는 건 자신이 있었으니 그러나 죽으라고 해도 수학이라는 놈은 나를 외면했다.

난 마음잡고

"엄마 2만 원만"

"왜 또 애들하고 당구 치고 놀려가게"

우리 엄마는 나를 너무 잘 안다.

"아니다. 수학 책 살 거다."

"어이구, 개가 똥을 안 싼다고 해라."

난 그길로 서점을 갔다.

중학교 수학 공식집을 샀다.

(두꺼운 수학의 정석인가 있다.)

근데 계산하고 나오는데 나랑 똑같은 책을

우리 반 친구가 계산하고 있다.

나랑 눈 인사만 하고 돌아서 가버린다.

워낙 얌전하고 공부도 전교 석차에서 노는 놈이었다.

나는 책을 뒤로 감췄다.

쪽팔렸다.

'저 새끼는 동생 심부름도 하나?아니면 벌써 과외 하나?'

나는 그렇게 생각하고 지나갔다.

고3 수능을 치고'자유'다 외치고 집에 가려는데 서점에서 본 친구가 나에게 충격적인 이야기를 하는 거다.

나는 잊고 있었는데 그 친구는 이야기해주고 싶었는가 보다.

"친구야 나 사실 그때 서점에서 중학교 수학 책 산거 진짜 아무리 공부해도 수학은 몰라서 중학교 문법부터 보려고 산 거야.

그때는 부끄러워서 말 못 했다."
"띵했다."
이 새끼도 다를 게 없구나.
'나는 그날 이후로 지금까지 남하고 비교하지 않는다.'
나는 항상 우리 아들, 딸에게 하는 말이 있다.
'나는 유일하다.'
'유일한 거지 남들과 다르지 않다.'
주입식으로 이야기를 어렸을 때부터 해서 그런가
우리 아들.딸은 한 번도 친구랑 비교해서 이야기하지 않는다.
옆에 소장님한테 말하고 싶었다.
'외근 중'하고 낮술 먹으러 가고 놀려가는 겁니다.
사무실에 오는 젊은 사람은 우리 아들, 딸들일거고 늙은 사람은
우리 어머니일거고 저라고 다를 거 없습니다.
남들하고 비교하지 마세요
그 순간 무기력 해지거나, 거만해집니다.

아~~늦었다.
고고~
"오늘도 파이팅"
"나는 날마다 모든 면이 나아지고 있다"
외치며 시동을 켜고 출근한다.
"여보세요"
"김 소장 밥 묵었나~ 내랑 점심 묵자. 내가 쏜다."
"네~"
부산에서 하시다가 오신 박 소장님이시다.
아주 열성적이고 부지런한 분이다.
"솔직하게 말씀하세요. 뭐 좋은 일 있습니까?"
('나는 아~거래 성사됐나 보다')생각하면서 물어본다.

"내 5년 만에 첫 토지 계약거래 성사했어."
부산에서 아파트를 주로 하셨던 소장님이라 이해한다.
"축하드려요.~~"
어디를 어떻게 했는지 묻기 시작한다.
사실 크게 궁금하지 않은데, 물어봐야 더욱 흥이 나고 신날 거 같아 물어본다.
"xx 부동산 x 소장님이랑 공동중개했는데..."
목소리 톤이 다르다.
(x 소장님 공동중개 소리를 듣자마자 아~ 무슨 사고 났구나')
감이 왔다.
"x 소장님 일을 그렇게 항상 하나? 깔끔하지 않고 자꾸 이상한 소리가 들리고 나도 그런 거 같아서 김 소장한테 물어본다."
"x 소장님 사람 좋은데 무슨 일인가요"
굳이 나쁘다고 말할 필요도 없고 그렇게 나쁜 사람이 아니다.
아는 사람들은 x 소장님을 놀부 소장님이라 부른다.
놀부가 나쁜 짓 많이 해서 밉고 망한 것이 아니다.
욕심이 많아서 망한 거다.
백합 같은 사람이다.
정확하게는 백합 싹 같은 사람이다.
(사실 모든 사람이 다 그렇다.)
거래하기 전에 어떤 사람이고 어떤 식으로 거래하는지 모른다.
그렇다고 일을 못 하는 분이 아니시다.
이곳 토박이로 토지 물건이 상당히 많다.
좀 투명하지가 않다.
같이 한번 거래한 사람은 안다.
20년 전에 하던 거래 방식을 아직 하신다.
매도인에게 받는 수수료를 정확하게 오픈시키지 않는다.
그렇다고 업계약이 아니다.

매도자가 인정하는 거다.
나는 그것 또한 본인의 능력이다고 본다.
그러나
공동중개하는 소장님한테는 오픈해야 한다.
욕심 때문에 오픈하지 않아 추후에 많은 일이 생겼다.
그래서
'아~x 소장님은 무슨 색깔 꽃을 가진 백합이구나 거래하게 되면
알게 된다.'
주변 소장님들은 물론 그렇게 중개를 안 한 지 10년이 넘었다.
그러나 욕심에 아직 못 벗어나는 것 같다.
박 소장님도 그런 소문을 듣고
그런 것 같아서 찝찝하다는 거다.
"안 그럴 겁니다. 그 소장님 그렇게 안 할 겁니다"
나는 괜한 의심하지 말라며 이런 식으로 이야기했다.
"받아, 가볍게 한 잔 혀"
"안 되는데~~그럼 딱 한 잔만"

♫♫낮술에 취해 산다.
♪너 너무 그러지 마라.
마음만 다친다.♪♪♫룰루랄라 강남 갔던 제비도~♪
김건모의 '제비' 노래가 생각난다.

30.전원주택

사람은 독거하는 것보다는 차라리
아무하고 라도 같이 생활하는 것이
좋다.
하물며 형제자매 간에 있어서랴.

-소크라테스-

살짝 눈을 떠본다.

잠시 생각에 잠긴다.

이번 설 명절은 무탈하게 보내고 온 것 같다.

침대 머리맡에 둔 핸드폰을 본다.

7시 45분이다.

푹 잔 것 같다.

어떻게 일어났는걸 아는지 테라스에 있는 집주인 놈들이 짖기 시작했다.

"멍 멍 멍. 이놈아 일어나라!!!   나 똥 마렵다."

"네 네 일어났어요 좀 조용히 좀 하세요."

커튼 사이로 들어오는 햇볕이 따뜻하다.

날씨가 포근하고 좋은가 보다.

가볍게 입고 나왔다.

다시 들어왔다.

속았다.

춥다.

주인 놈들에게 끌려 대문을 열고 산책하러 가는데 대문 옆에 항상 자리하던 놈들이 이불을 헤치고 머리를 삐쭉 내민다.

'수선화'다

오랫동안 함께한 놈이다.

몇 놈들은 분갈이해서 안으로 이사시켰다.

터줏대감처럼 오래전부터 지켜온 참나무 형님의 입을 이불 삼아 따뜻하게 보낸 것이다.

사실 나의 게으름이 이불이 된거다.

잎이 떨어져 낙엽을 치우다 치우다

포기했다.

참나무가 도토리나무다.

나도 여기 이사 와서 알게 되었다.

사실 모르는 사람들이 많을 거라 본다.

아닌가?

내만 몰랐던 것인가?

참나무 덕분에 나는 여름. 가을에 오는 손님들과

친구를 쉽게 맺는다. (일촌)

도토리 손에 쥐고 몇 개씩 준다.

한참을 생각하는 사람이 있을 거다.

미안한 마음이 갑자기 밀려온다.

'수선화' 이놈들의 꽃말이 웃기다.

꽃말이 자존감. 자기애 뭐 그런 쪽이다.

'나르시시즘' 이라는 말의 유래라고 보면 된다.

음~그리스신화 속에 나르 뭐 시기라 하는 소년이 어떤 이쁜 여자가 있어도 마다하고 혼자 지내다 강물에 비친 자기 모습이 너무 이뻐서 자기가(소년이) 반하여 그 모습만 보다 죽을 때 '수선화'가 되었다고...

아! 이렇게 올리면 안 되지?

나르 뭐 시기라 하면 안 되지 폰을 뒤집 거린다.

나르키소스 란다.

쉽게 말하면 나르키소스라는 소년이 어떤 여자보다 강물에 비친 자기 모습이 이뻐서 반하여 그 모습만 바라보다, 굶어죽을 때 수선화가 됐다는 거다.

그래서 나르시스즘은 나르키소스의 이름을 따서 유래된 거로 안다.

분명 자기애와 자존감과 나르시스즘은 다르다.

우리 마을은 봄이 참 이쁜 마을이다.

매화가 많이 피고 해서 매화축제 때는 음 집에서 힐링해야 한다. (차들이 많다.)

내가 여기로 들어온 지가 6년차다.
우연히 손님이 전원생활을 하고 싶어 전원주택을 찾았다.
알아보고 신중을 다해서 이 집을 소개해 줬다.
그런데 손님은 다른 집을 택했다.
다른 부동산에서 소개한 집과 저울질하다가 그 집을 택한 거다.
물론 내가 생각해도 그 집은 싸고 좋았다.
건축 값만 받는듯했다.
그래서 내가 이 집을 선택했다.
아까웠다.
그러다 보니 이 집에 거주하게 된 거다.
나는 40대 초반에 일찍 들어왔다.
청년회장이다.
청년이 없다.
물론 애들 학교 때문에 초반에는 왔다 갔다 했다.
이제는 그럴 필요 없다.
애들이 다 컸다.
자의 반 타의 반인 셈이다.
그런데 그 손님은 1년도 안 돼서 팔고 전원생활 못하겠다고 나갔다.

지금부터 이야기는
만고(오로지) 내 생각과 나의 미흡한 지식으로 이야기하겠다.
손님들이 전원생활을 원해 전원주택이나 주택지를 찾으면
나는 오래전부터 형성된 작은 마을 내에 있는 촌집 및 땅은 소개하지 않는다.
물론 꼭 원하면 소개하지만 일부 그런 마을 사람들은
(여기서 일부라는 말을 다시 강조한다.)
정말 '수선화'처럼 '마을 애'가 강하다.

한마디로 텃세다.

집문을 이리 내면 안 되고 집을 2층 짓지 마라

햇빛 가린다.

앞의 손님도 텃세 때문에 헐값에 나온 거다.

우리 마을로 이사 오신 분들도 그런 분들이다.

지방으로 갈수록 더 심하다.

그리고 집들이 너무 붙어있는 게 문제다.

보통 전원생활 하려는 분들이 사생활 즐기려는 분들이 많을 거다.

나는 마을 텃세 파악하려면 옆 마을 가서 마을 동네 어르신들 막걸리 대접한다.

(막걸리 참 좋아한다.)

그러면 옆 마을 흠을 다 이야기한다.

김 씨 박 씨 이 씨 다 이야기해준다.

그리고 마을 이름 보면 대충 파악한다.

세련되면 좋다.

이쯤에서 미흡한 지식을 정리해 보자.

전원주택지 나 촌집 전원주택을 사려면 우선 생각할 것 물론 투자용일 때는 다르다.

(텃세고 뭐고 돈만 벌면 되지 않는가.)

1. 마을 텃세가 있는지 파악한다.

2. 집들의 간격을 파악한다.

(아랫집, 윗집, 옆집)

3. 생활하던 연고지 (시)를 벗어나지 않는 게 좋다.

(지방인 경우)

생활하던 곳, 일터랑 거리가, 자가용으로 45분 이내의 거리가 좋다.
버스의 배차 시간 간격도 짧아야 좋다.

4. 중형상점(주로 작은 탑 마트나 농협 하나로마트)이 차로 10분 이내의 거리가 좋다.

5. 읍 면 소재지 사무소가 차로 15분 이내에 있는 거리가 좋다.
기차역이 있으면 더 좋다.
요즘 무궁화로 출퇴근하는 분들이 많아서 출퇴근 시간에는 기차가 주로 많이 선다.
(우리 마을에도 부산 대구 출퇴근하시는 분들 있다.)
몰랐던 부분인데 철도공사 앱에 들어가면 한 달 정액권을 구입하면 가격이 3분의 1정도가 싸다고 한다.(입석)
물론 다음 달 넘어가면 못쓴다.

6. 나 홀로 집은 피하라.
혼자 사생활 즐기며 자연인 할 거야.
그러면서 뚝 떨어진 곳에서 생활하면 고독사(독거사) 당할 수 있다.
수많은 조건이 있고 유의사항이 있을 수 있지만
이 정도는 우선순위로 삼으면 좋겠다.
그러면, '이런 땅과 집을 어찌 구하노' 이러는 분이 있을 거다.
구할 수 있다.

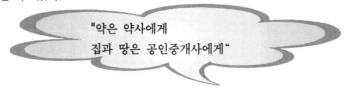

"약은 약사에게
집과 땅은 공인중개사에게"

꾸니왕

공인중개사 중재가 우선이다.

발 행 | 2024년 4월 15일
저 자 | 꾸니왕
펴낸이 | 한건희
펴낸곳 | 주식회사 부크크
출판사등록 | 2014.07.15.(제2014-16호)
주 소 | 서울특별시 금천구 가산디지털1로 119 SK트윈타워 A동 305호
전 화 | 1670-8316
이메일 | info@bookk.co.kr

ISBN | 979-11-410-8109-6

www.bookk.co.kr
© 꾸니왕 2024
본 책은 저작자의 지적 재산으로서 무단 전재와 복제를 금합니다.